我是 深雪

關於外表，無辦法，就是柔弱纖巧精精細細。
而內裡，是很相反很相反的。我是很極端的人，充滿矛盾感。
關於自己，我永遠說不清，也看不清。
但我寫的小說就是這麼一回事，我沒說是代表我，但那也是我。
我不知道啊。可能，唯一清晰的時候，是當我愛你的時候，
忽然，我的一切，都一面倒地好。我愛你。

二姝夢 2

LET ME DROWN IN FIRES

ANGELIC WICKED LOVE-2

深雪 ZITA LAW

CONTENTS

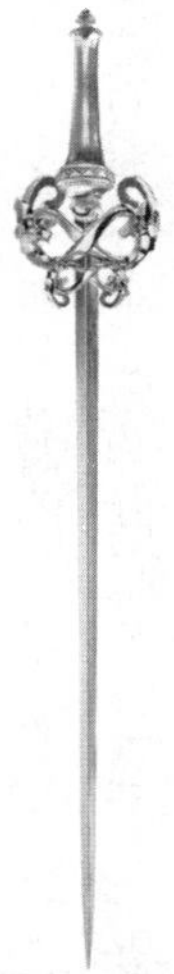

CHAPTER - 01

HEARTBEAT OF MONA LISA

～The Origin～

Mystery的三胞胎，阿大阿二阿三正走在南美洲亞馬遜森林中。阿大身穿艷紅連身束腹蕾絲內衣，頸上掛有三串珍珠作飾物；阿二則穿了粉藍色綴上精緻小花邊的短身低胸睡裙，她在頸上縛了紅白兩色的蝴蝶結；阿三是白色貝殼形三點式泳衣，手腕上戴著大串大串的幻彩貝殼首飾。

三胞胎美艷不可方物，五呎九吋的高度，36D、24、36的身材，臉蛋完美瑰麗，一雙眼珠子晶瑩通透如十克拉的美鑽，當波光流動時，眼內閃亮出反映世上一切瑰寶的華光。就算以最嚴格的標準來衡量，三胞胎都是世上最美艷的女人，無論從任何角度看去，她們都晶光璀璨，奪目懾人。

Mystery的三胞胎，是女人中的女人。

她們走動在色調深淺不一的綠色植物叢中，顯得氣勢如虹。蔓藤、大樹、巨型的葉子、花叢、纏繞的枝莖都自動自覺爲她們開路，一路上，植物具靈性地歎息頌讚她們的美，陶醉在被她們沾染過的榮幸中。猴子、兔子、小鹿、斑豹、野牛、大蛇……甚至百彩飛鳥都各自屏息靜氣，佇立原地，眼睜睜地目送她們走過，以動物界的紀律向她們作出崇高的敬意。

阿大走在最前，她的眼神慧黠極具神采，但嘴角卻泛起一抹溫柔，她永遠帶著通曉世情的姿態，驕傲但又充滿智慧；阿二與阿三走在阿大身後，二人地位相若，但氣質各異；阿二悲天憫人，永遠眼泛淚光；阿三的神情是一個夢，她從來未失去對愛情的憧憬。三人儀態萬千地穿越亞馬遜森林，而目的地就在前方。

陽光透過茂密的植物葉子照射在她們雪白的肌膚上，愈走近目的地，陽光愈見猛烈。最後，三胞胎走出了森林，這神秘的森林之盡，是人類無緣踏足的古馬雅境地。

方圓萬里都是綠油油的草原，那綠草高約一米，全隨風向傾前。在草原的正中央建有一座古馬雅金字塔，這座以灰石建築而成的巨型建築物，在陽光的照耀下散發著一層幻妙的銀白柔光。金字塔在她們看不到的遠處，唯一辨認位置的辦法，就是朝那不滅的光源前進。

三胞胎向金字塔邁進，她們穿越綠草，感覺猶如魚兒游動於海藻群裡般溫柔，綠草輕拂在她們的肌膚上，柔動如絲。間中會走過一些奇異的凹陷位置，深深的、巨大的、像被萬噸重的壓力機器重壓過的模樣。三胞胎神情自若，在被壓扁的綠草洞內爬下又爬上，那些草原上的大洞，往往深達十呎，闊數十呎，不名的沉重力量，使草洞以各種形態分佈在大草原之上。

一直走呀走，在這片日不落的天地中，她們走了三日三夜，那座銀白發出巨光的金字塔愈來愈接近。三胞胎表情恭敬，並無一丁點倦意。當阿大踏上金字塔的第一級樓梯時，忍不住就把雙手按到心房上，神色極其感動；阿二阿三跟在她身後，表情亦同樣尊崇，她們朝金字塔的頂端仰望，帶著如蒙神召的感歎。

這裡是愛情的聖地，亦是世間所有愛情之源。

高跟鞋在石階上敲碰出俐落的『咯咯』聲，金字塔共有一萬塊石階，數小時後她們會如願步行上塔頂。一路上陽光明艷閃亮，三胞胎都面露笑容，肌膚不滲一滴汗。而攀越得愈高，往下看到的風光就愈奇異。在那走過三日三夜的草原上，分佈了各色各樣的巨型圖案，每一組圖案面積達數公里。蜘蛛形物體、似馬又似牛的符號、十二黃道、迷宮般的指示、意思難明的文字組合……草原上的巨型凹陷位置，組成了這些圖象，人在高處便能看得到。

阿大說：『這還是我們頭一趟來臨這片尊貴的境地。』

阿二感動得眼泛淚光。『沒齒難忘！』

阿三如夢般感歎：『如此壯麗的景色……』

阿大說：『只有神人才能欣賞！』說罷，就狂傲地哈哈哈大笑。

也終於，三胞胎沿石階走到金字塔的頂部。那是個四方形的平台，面積一萬呎，在平台中央另有一個升高的小台，高十呎，小台上放有一張寬闊華美的紅色絲絨座椅，椅背高高的，活像個寶座，寶座之上坐著一男一女。三胞胎朝那雙男女下跪，接著才再向前走。

風很猛烈，把她們的長髮吹得跋扈飛揚。阿大依然是走在前端的一個，阿二阿三平排跟在她身後。終於看得清楚座上的男女了，他們正帶著笑意朝三胞胎望去。

在距離寶座約三十呎之處，風就停下來，剎那間，空間亦靜止了，陽光射不進，但依樣溫暖光明；而空氣，是不可思議的清純，再混濁的腦袋，都能被這種純正過濾而變得通透聰明。這裡百毒不侵，智慧滿溢，安然明澄。

寶座上的男人和女人四手互牽，他們的眼神輕濺出愛意，看得出他們是一雙情侶。男的長得結實健碩，一頭栗色短曲髮配上粗中帶細的輪廓，顯得極富男子氣概；女的婀娜嬌美，渾身散發出原始的性感，她的長髮是鬈曲的金黃色，肌膚是香甜的蜜糖色，五官精緻又野性，一張唇豐潤而厚厚的，說不出的迷人。

他們穿上白衣裳，設計簡約富線條美，不落俗套。這雙男女互相換了神色，繼而朝向三胞胎綻放出天然、純潔、無雜念的笑容，看得三胞胎心花怒放。

『啊……太美了！』阿二驚歎得雙手按到臉龐上。

『只能在夢中相遇的氣質！』阿三陶醉地不住搖頭。

『果然是金童玉女！』阿大則鏗鏘地說。『亞當、夏娃，聞名不如見面！』

亞當與夏娃禮貌地向三胞胎點了點頭，繼而又再互相凝望。當他們一凝望，粉紅色的磁場立刻從目光之間爆發，洶湧地彌漫四周，剎那間，寶座的前前後後全被粉紅色所籠罩。

他們旁若無人地說起情話來。

亞當說：『不知不覺間，人世間已步進深秋，落葉的顏色就如你的秀髮。』說罷，亞當就輕撫夏娃一頭艷麗的金髮。

夏娃就說：『爲何夏季離開得如此急速？是否因你說過些甚麼？』

亞當望進夏娃的眼眸內，告訴她：『傻豬，你說討厭夏天人人吹冷氣，於是我就把夏季送走喚來秋季。』

夏娃雙眼一亮，掩嘴嬌笑。『笨蛋，平日叫你買珠寶首飾給我，又不見你如此有效率！』

亞當以手指輕托夏娃的下巴，調戲她：『我的傻豬是天生絕色，根本沒有珠寶配得上她！』

夏娃伸出手臂向天上一指，說：『笨蛋，月亮配得上我吧！』

頃刻，亞當就伸手往半空一撈，於是月亮就停在他手掌上。『讓我爲傻豬戴上……』亞當把月亮放在夏娃的金髮上，這使她看上去與聖母瑪利亞相像。

頭戴光環的夏娃嬌俏地左左右右擺動上身，『好不好看？美不美？』

亞當以雙手捧著她的小臉，湊近她的唇邊說：『太美！太美了！美得……我願意給你我所有的愛，多於我能給予的……』

夏娃仰起臉半瞇起眼睛，陶醉得欲仙欲死。

亞當緊握著她的雙手，激動地說下去：『我親愛的，你聽得見我愛你愛得連聲音也帶著心碎嗎？』

『呀！』夏娃被亞當深深的打動，情不自禁地發出嫵媚的呻吟。『啊……啊……啊啊……』

隨著夏娃的表情，亞當忽然咬牙切齒，他無法按捺下去，一邊注視著夏娃的媚態，一邊狂吻著夏娃的指頭。

夏娃半張開眼睛，如此詢問眼前人：『這麼多年了，你依然渴望我嗎？』說罷，就把亞當的手移到她豐滿的胸部上。

亞當無法自持，他把臉孔貼著夏娃的胸脯揉動，喘著氣說：『來吧來吧！把我囚居在你心窩中去吧！』

夏娃一聽，頃刻撥亂一頭金髮，把髮上的一輪明月如沙灘飛碟般飛擲到遠處，繼而急急忙鬆開衣服上的鈕釦，正準備躺下來。

亞當壓在她身上。然後——

『請自重！』傳來阿大的呼喝聲。

阿二也說：『我們千里迢迢不是來看眞人表演！』

阿三挪開原本掩住雙眼的手，呢喃起來：『眞是的……嘖嘖嘖……』

亞當夏娃連忙坐直身子，尷尬地整理衣服頭髮，又一邊吃吃笑地呢喃：『激動嘛，也就忘了有外人……』『笨蛋，都是你不好，叫人慾火焚身……』

接著二人互望一眼，忍不住立刻又火熱地深吻。

『呸！』

『喂喂喂！』

『Cut——』

三胞胎大動作地喚回亞當夏娃的注意力。

亞當夏娃就勉強地把嘴唇移開，但身體依然像連體嬰那樣擁抱交纏。頭碰頭，四條手臂互相纏住，夏娃坐在亞當的大腿上，恩愛親密得不得了。

夏娃說：『對不起，我們一刻也不能停止愛對方。』說罷就細細碎碎地親吻亞當的臉龐，吻呀吻，到吻得夠了，夏娃才仰臉深呼吸，補充因激情而燃燒得過量的氧氣。繼而，她把臉別轉，作出感性的歎喟。

『唉……』夏娃按住心房，背著亞當的臉大大地歎息。

亞當看見她這樣子，便說：『親愛的，請你別背著我，只要有一刻看不到你的臉，我也會心生掛念……』

夏娃便又激動地回頭，二人四目交投後，忍不住又再痴纏地擁吻。

『呀——』

『天呀——』

三胞胎齊齊翻白眼和驚呼。

他們是一雙不能夠分離的戀人，雙手不能分離，雙腿必定交纏，心意務必相通……就連目光也無時無刻相交互傳，當目光內沒有對方的容顏，靈魂頃刻便寂寞。

『了不起！』阿大用力地拍起掌來。『啪啪啪啪啪——』

阿二說：『億億萬萬年來恩愛不減！』

阿三說：『人世間就是由你們開始孕育出愛情！』

亞當夏娃停止了擁吻，亞當輕吻了夏娃的額頭，夏娃垂眼溫柔地微笑，那種濃郁又融和的愛意，美麗得不得了。

他們情深地抱擁，臉貼著臉，繼而一起望向三胞胎，對她們說：『沒錯，我們就是人類的愛情源頭，自來臨伊甸園的一天開始，愛情就在這個星球內蔓延。』

阿大向前踏了半步，說：『亞當夏娃，我們有問題要請教。』

亞當伸出手臂優雅地揚了揚，然後說：『請說。』

三胞胎互相交換了一個眼神，接著三人並排一起，開始向亞當夏娃發問。

阿大問：『如何協調男女間的分歧和差別？』

亞當回答：『學習明白男女間所有的不相同。』

夏娃說：『只有認清楚兩性的分別，才有能力愉快地相處。』

阿二問：『如何能夠在相對多年後依然愛意不減？』

亞當說：『要有決心。』

夏娃補充：『意謂兩人要每天定下深愛對方的決心，每一天都要以愛對方爲生活目標。』

阿三問：『如何在對方做了錯事、傷害了我們之後，依然深愛對方？』

亞當回答：『首先，要明白，就算是靈魂伴侶也不完美。』

夏娃說：『犯錯是必然的。明白了無人是完美聖人之後，你便能有原諒之心。放棄舊的人，換上新的人，新人也同樣會犯錯。』

亞當續說：『你要不就分手，要不就原諒。你不能夠選擇待在一起卻又永不原諒對方。』

阿大問：『如何解釋相愛過後的變心和分離？』

亞當回答：『對方變心，即是代表他不再是你命運中的導師，你要在他身上學習的東西已完結，所以導師是時候要走；而不久之後，命運會安排另一位導師的出現。』

阿二問：『如何解脫不被愛的痛苦？』

夏娃回答：『「我愛、故我在。」世上無人可以帶走你對他的愛，包括他自己。只要你愛過，那愛就屬於你的。因此不被對方所愛並無痛苦可言，無論他愛不愛你，你心中的愛仍然存在。』

阿三問：『爲甚麼有人會得不到愛情？』

亞當說：『因爲命運沒安排他由一個人身上學習愛情。』

夏娃說：『或許，他已懂一切；又或許在命運的這段落中，他要學習的是別的事情。生命中有很多東西要學，剛巧因爲某些原因，命運不用他去參加「愛情」這個課程。』

最後，阿大這樣問：『甚麼才是世上最偉大的愛情？』

亞當與夏娃互望一眼，然後齊聲說：『自己愛自己，就是世上一切最偉大愛情的根源！』

亞當說：『只有在自愛之後，才能激發出愛別人的能量。』

夏娃說：『愛著別人的同時，別忘了自己愛自己。』

亞當說：『只有自愛的人，才有能力去糾正對方在愛情中的錯誤。』

夏娃說：『自愛的人，是最清醒、最有力量、最有能力的愛情導師。』

三胞胎聽罷，點頭贊同之餘又滿心喜悅，得著智慧，人便清明滿足，安逸泰然。

不久，一道耀眼白光破天而出，直射到寶座上的亞當夏娃身上，當白光包圍了他倆的同時，他們的身體就慢慢升起，緩緩地在白光通道內朝天而上。三胞胎向天上望去，只見穹蒼之上有一寬闊入口，而與藍天融和一起的是一艘宇宙飛船，這飛船透明無色，亦無貌無形，只得圍在邊緣的數千顆閃燈在閃亮，神秘地顯示它的存在。

夏娃興奮地向三胞胎叫嚷：『我們回老家度蜜月呢！』

亞當向她們揮手說再見：『有緣的話大家再相見！』

三胞胎的臉定定地朝天仰上，她們目送亞當夏娃被白光吸進飛船中。飛船的門迅速關上，邊緣的閃燈極速旋轉，剎那間巨大的飛船急速駛進航道，在數秒間於天際隱沒。

天是完美的蔚藍色，方圓萬里無人，寶座上空空如也。三胞胎轉身，步出寶座的範圍，拾級由金字塔頂走下去。由高處向下俯望，那一組又一組怪異的草洞圖案益發令她們印象深刻。人類沒有猜錯，當地域上出現這些面積龐大的奇異圖案時，即代表了外星人曾經光臨。

億萬年以來，外星人無數次來臨這小星球，目的不外是來看看同類的後代繁衍如何。

就在億萬年之前，有兩艘分別來自兩個星球的飛船誤闖地球，當中一艘飛船載著一個男人，而另一艘載著一個女人，他們各自說著自己的語言，有獨特的思想與行爲習性。而當某天，這一男一女在地球上碰面時，他們都嚇了一跳，天啊，在他們原本的星球上，從沒見過有另一個性別的出現……

而從此，這兩個無法返回自己星球的一男一女，開始在地球上學習如何合力生活，同時努力去適應對方、欣賞對方、喜歡對方。

在某一天，二人四目交投之時，忽然感覺彆扭，心跳加速、臉頰飛紅、手足無措……然後，愛情漸漸就在他們之間滋生。

最後，這一男一女，就被稱爲亞當和夏娃。而無數的故事，演盡了悲歡離合，就由他們而生。

亞當夏娃一直沒有死去，他們的後代繁衍又繁衍，死亡又重生。他們卻在這億萬年的旅程中練就超越生死的不朽之源，天人合一，威力無盡。

這不朽力量之源，就是愛情。

~ Mona Lisa ~

在這一幅畫中，有這樣一個女人。

豐潤的面容上有一雙溫柔的眼睛，觀看者凝視她之時，她也在凝視他們。眼窩深深的，眼皮略厚重，眼珠淺茶色，下眼皮上掛有一雙小眼袋。沒有眉毛，她把自己的眉毛全拔掉，那是潮流的指標；同樣地，她也把額前的髮線人工化地向上移，露出廣闊的額頭，這亦是應潮流所需。鼻子又長又直，顯得貴氣。下巴小巧略尖。而整張臉的最特別之處是那抹笑容，欲言又止，似笑非笑，很多話想說，但又故意不明言……

聞說，這笑容是人間中最神秘的。

她是蒙娜麗莎，世界上最著名的女人。只要一說起她的名字，便能立刻在腦海中浮現出她的容貌。

那坐著的姿勢，右手交疊在左手上的形態，以及那黑紗袍披身的豐姿，明顯地確立了她的形象。這是世界上最容易辨認的畫作，只須觀看當中一小部分，也能立刻認出這畫作就是不朽的『蒙娜麗莎』。

蒙娜麗莎的膚色是一種略深的蜜糖色；髮型爲中分界的鬈曲款式，輕輕薄薄地垂到肩上，而髮上披了一片如蟬翼薄的黑紗。她看來豐滿，不算太低的衣領上有一道乳溝。她的背後是一幅大自然的山水，山遙遠，河水蜿蜒，看來帶點蒼涼，灰灰綠綠的。

蒙娜麗莎被安放在巴黎的羅浮宮博物館內。現在夜已靜，羅浮宮已關門。蒙娜麗莎由她坐著的椅子中站起來，離開了座位，也離開了她的山水背景，跨步越過畫框，把腿伸到地上來。

當雙腳踏到地板上之際，她就回望，畫框內只餘下一片寂寥的山水風景，以及一張色調晦暗的空座椅。

她溫柔地拍動睫毛，繼而揚起嘴角，泛著一抹更自由的笑容。依然不露齒，但明顯地，這笑容代表了愉悅，它的意思明確，亦不再神秘。

她拖著長長的曳地黑紗袍向前行，步姿輕盈優雅。她走到走廊的盡頭，在范艾克的『羅林大公的聖女』跟前停下來，她伸手把這幅畫作由牆上挪下，繼而就看見牆壁上有一片浮動的夜色。

夜間的天空有星星，地面是一片大園莊，而園莊中央有一幢大宅。那是義大利的翡冷翠，蒙娜麗莎將要到那裡去。

於是她伸出手臂撥動那浮動的影像，那感覺冰冰涼，像夜間的海洋。然後她就朝這夜色邁進，當穿越了那浮動的景色後，她便站到翡冷翠的土地上。

由畫中走到塵世間，是那麼輕易而舉。而蒙娜麗莎表現得自由輕盈，遊走於人間，似乎已是平常的事。

她向著大宅走去，那是一間粉黃色的石屋，屋的一角被蔓藤植物攀纏著，開滿了火焰般紅的花。蒙娜麗莎伸手，開啓大宅的門，看見了雅致但又華麗的室內佈置。她步過了玄關的大盆花卉和古董水晶吊燈，悠然地踏上古老的雲石樓梯前往二樓。她向右轉，走在面向花園的涼廊中，她喜歡涼廊上那列白色鐵花欄杆，她邊走邊伸手在欄杆上掃著。

在涼廊的盡頭停下來之後，她伸手推開一扇白色木門，木門內是一間休憩用途的小沙龍，鋪了地毯，放有沙發、鋼琴、兩排書架以及一個壁爐。蒙娜麗莎選擇了遠離壁爐的單座位沙發坐下去，坐姿一如以往數百年那樣，右邊身體傾前，右手疊在左手之上，而左手則安放在座椅的扶手處。

她顯得優雅而寧靜，貫徹一種畫中人的氣質。她的笑容溫柔又含蓄，看上去很有耐性似的，令人感覺很舒服。

意外地，此刻的蒙娜麗莎一點也不神秘。從側臉看來，她甚至有點小女生的氣質，純樸的、善良的、羞怯嬌柔的、討人歡心的。

這個蒙娜麗莎這樣子端坐著，等待她要相見的人。

沙龍外有腳步聲，接著，門開了。進來的是一名相當俊美的男子，金髮藍眼，五官清秀英氣，身形比例一流。原本他沒注意，但當看見端坐的蒙娜麗莎時，他就怔了一怔。

四目交投後，蒙娜麗莎就朝他嫣然一笑；依舊不露齒，模樣也依舊溫柔如夢。

看得他的心悠悠蕩漾。

幹嘛幹嘛，午夜時分由不知處走進來一個著名的謎樣的美麗女子……

隔著約三十呎的距離，他向她禮貌地欠了欠身，說：『蒙娜麗莎小姐……』

她向他點點頭，神情愉快迷人：『加尼美德斯大人……』

一聽見美人以甜膩婉約的語氣叫喚他的名字，加尼美德斯當下渾身酥酥軟的，而老毛病立刻發作：『幸……幸會……』

蒙娜麗莎意態優美地傾前俯身，加尼美德斯但覺雙腿發軟，連忙窩到沙發內，以驚震的心情朝這名舉世知名的女人看去。

無可倖免地，他就如世上所有男人，瞬間就爲這個女人傾倒。

二人相距三十呎的距離，她以億噸計的柔情注視他。加尼美德斯一邊接收她發放的電力，一邊不由自主地著迷。天呀！她的凝視就像神祇的眼神那樣懾人；而那抹微笑，根本就是一種催眠的暗示……

加尼美德斯以喘氣的口吻說：『緣何蒙……蒙娜麗……麗莎小姐光臨舍下……下……』

蒙娜麗莎的眼眸亮了亮，回答他：『我來是爲了與大人談一場戀愛。』

頃刻，時間在這一秒停頓，在這膠住了的空間內，加尼美德斯有一張驚愕得合不上嘴的臉。面前的美女說，她來是爲了與他談一場戀愛……

『啊——』良久之後加尼美德斯才懂得反應。

蒙娜麗莎柔情蜜意地說下去：『與大人愛戀一場，就是我的理想。』

加尼美德斯的口只能張得更大。

蒙娜麗莎拍動了睫毛，表情純眞地問：『大人，Mystery的三胞胎沒向大人稟告嗎？我是她們派來與大人相親相愛的。』

『Mystery！』加尼美德斯驚呼：『阿大……阿阿阿二……阿三……三……三……』

蒙娜麗莎再次牽動她那傾倒眾生的嘴角，謎樣的電力立刻貫通了加尼美德斯的血脈。

加尼美德斯搖頭晃腦：『不……不會……會吧！』

蒙娜麗莎的神情就這樣憂鬱起來。『大人有所不知，小女子自晝中誕生了五百年，許久也未如意地愛戀過，每一次的戀愛也充滿遺憾。於是，Mystery的三胞胎就告訴我，天下間最俊美善良的神祇加尼美德斯大人或許能夠達成我的圓滿戀愛心願；而同時候，我亦能使大人一嘗戀愛的宿願。』

說罷，蒙娜麗莎就深深地望進加尼美德斯的藍眼睛裡，她的眼神是那樣柔順脆弱，看得他的心一陣痛。

保護弱小女子是天下大男人的使命，加尼美德斯的男子氣概一下子全然匯聚，他甚有男人味地從沙發中站起來，向著蒙娜麗莎走去。

他跪到她面前，捉住她的雙手，對她說：『與我一起，你的戀愛將不會再有遺……遺……遺……遺……』

『憾。』蒙娜麗莎輕聲地替他接下去。

加尼美德斯感激她的體貼，他情深地吻在她的指頭上。

蒙娜麗莎溫婉地說：『我也明白大人的小毛病。要是我們的戀愛成功，大人的口吃便能得以痊癒。』

加尼美德斯不得不熱淚盈眶，他激動地說：『蒙娜麗莎小姐願意爲我犧牲？』

蒙娜麗莎點下頭，以媲美聖母的慈愛目光熱暖著他。就這樣，加尼美德斯的藍眼睛滴出了眼淚。

看著加尼美德斯那緩緩滑下的淚水，蒙娜麗莎說：『但是，大人要以我的方式去談這一場戀愛。』

加尼美德斯拭去了臉龐的淚，繼而再次緊握她的手，說：『我的美人，你說甚麼，我……我……我都依你。』

一直以畫中人的姿態坐著的蒙娜麗莎緩緩地把頭由右移向左，朝著左邊窗外的天色說：『皆因我是畫中人，因此我遇熱會溶，遇冷會龜裂，遇雨會褪色，我只能愛在秋季，清爽的、明媚的、溫和的。過了這個秋季，我就不能再留在此地……』

加尼美德斯皺起眉頭，聽見她這樣說，還未秋盡，他的心已惻然。『我們只有這短短三……三個……個月？』

蒙娜麗莎把目光放回他的臉上，對他說：『除非我們的戀愛在秋盡之前已成功。成功了的話，我就能永遠留在你的身邊。』

加尼美德斯立刻又安心了，他閃亮著雙眼，牽著她的手與她一同站起來，二人雙手緊扣心房前，深深凝視。他萬般認眞地對她說：『我答應你，爲著把你留……留……留在我身……身……身邊，我甚麼也願意爲你……你做……做……』

蒙娜麗莎的目光如像一個粉紅色的夢。她仰視高大的他，這樣說：『是的，這段戀愛由我控制，我要你說甚麼做甚麼，你都只能聽命。』

加尼美德斯乖巧地點頭：『這個當然了！』

蒙娜麗莎感到滿意，含笑地對他說：『那麼，請你合上眼睛。』

加尼美德斯聽從吩咐。蒙娜麗莎的雙手離開了加尼美德斯的掌心，繼而向上一舉，接著『啪』的一聲朝他的俊臉上掌摑去。

加尼美德斯既痛又愕然，他張開眼來：『怎……麼……』

蒙娜麗莎沒回答，她伸手又刮他一記耳光。

『呀——』加尼美德斯頻頻呼痛。

但蒙娜麗莎沒有停止，她打完他左邊臉，再打右邊，如是者來來回回連續地掌摑了他十多記耳光。

『呀——呀——』加尼美德斯驚愕地慘叫，而蒙娜麗莎的表情倒是平靜，看不出她有多愉快，也看不出她有多猙獰。

啪啪啪地摑打面前準備相愛的人，似乎只是一種她慣於實行的表達方式。

終於她願意停手，而那個被她摑打的男子以手掩臉，大惑不解地吐出這三個字：『為——甚——麼——』

蒙娜麗莎輕快地轉身，以貫徹五百年的姿態坐回椅子上，右手疊著左手，背挺直，身體往右傾前。她端正地凝視前方的男人，說了這一句：『只因為我喜歡囉！』

說罷，左邊嘴角向上揚了半分，右邊嘴角也上揚了少許，接下來，這微笑就在空間凝結，而從這剎那開始，一種凝重的神秘入侵。

懾住了觀看者的心神、主宰了世上一切、讓人不明所以。

而這個就是我們最熟悉的蒙娜麗莎。

——一個愛情中的超級虐待狂。

這一男一女四目交投，而無可避免地，男人總是屈服的那個，世間上，無人抵抗得到蒙娜麗莎具催眠魔力的一張臉。加尼美德斯仍以雙手掩住臉，在蒙娜麗莎的眼神中他徹底投降，當雙手由臉龐挪下來後，他就馴服地說：『好吧，爲著得到愛……愛……情……情……我一切都依……依……依……你……你……你要打要殺，我悉聽尊便……』

蒙娜麗莎看著他臉上兩邊通紅的手掌印，似乎滿意得很。她站起來，正意圖走前去伏在高大的他的胸膛中時，忽然，從房間之外傳來一把聲音：『慢著——』

蒙娜麗莎與加尼美德斯齊齊回頭，看到阿大阿二阿三浩浩蕩蕩地步進沙龍中，阿大張開手掌，這樣說：『翡翠小姐，你的戀愛對象不是此人！』

蒙娜麗莎望了望加尼美德斯，然後就向後退了一步。『搞錯了嗎？』

加尼美德斯臉色大變：『怎麼……怎麼……』

阿二說：『翡翠小姐，我們爲你準備了更合適的人選。』

蒙娜麗莎瞄了加尼美德斯一眼，說：『這件貨色已算不錯呀！』

加尼美德斯連忙插嘴：『我挨打了呢！』他伸手揉著刺痛的臉龐。

阿二就眼有淚光。『眞可憐呢，白白受了罪，但又得不到愛情。』

蒙娜麗莎一手抽住加尼美德斯的衣領，說：『我喜歡這個，他給我打完還會感激我！』

加尼美德斯慌忙附和：『是呀……是呀……我喜歡挨……挨……打！』

阿大就笑得饒有深意，她說：『但世間上有另一個男人，他可以讓你虐待得更過分，兼且百分百能讓你重新擁有心跳！』

蒙娜麗莎隨即粗暴地推開加尼美德斯，慌忙走上前去，緊張地說：『是誰？』

三胞胎就向左右兩邊讓開，站在她們身後的是一名年約二十多歲，身高六呎，重約三百磅的巨型男人，他穿著十六世紀的服飾：頭戴斜扁帽，上衣是肩膀橫闊但修身束腰的刺繡服，下身則是貼身白襪褲和穿在外面的燈籠褲，爲了突顯男子氣概，他在胯下佩戴了陰囊袋，而腳上的鞋子則是精緻的鏤空方頭鞋。

他的下巴蓄有短而濃密的鬍子，皮膚很白，五官清貴。他的右手手指勾在腰間的黃金腰鏈上，而左手，就拿著一隻大雞腿不住的往嘴裡送，他望著蒙娜麗莎，表情呆然，又不停地吃。

蒙娜麗莎驚愕地問：『這個白痴肥仔是誰？』

阿大鏗鏘地告訴她：『他就是英國國王亨利八世！』

阿二柔情地說：『他是許配給翡翠小姐的戀愛人選！』

阿三閃亮如夢似幻的目光。『位高權重，位極人神！』

蒙娜麗莎搖頭驚呼：『我不要與白痴肥仔談戀愛！』她直勾勾地指著亨利八世。『你看，他的神情似個低能兒！』

阿大氣定神閒地回應她：『國王只是未看清楚你是誰，讓我把他的魂魄召回來！』

說罷，阿大就雙手一拍，亨利八世立刻搖晃了腦袋，眼神亦漸次集中。

阿大對他說：『國王，你看面前正站著誰？是舉世知名的蒙娜麗莎！』

當『蒙娜麗莎』這名字鑽進亨利八世的腦袋中後，他那雙修長但細小的棕色眼睛就流露出讚歎與愛意，他望著面前的女人，抑壓不了心中溢滿的的傾慕。『啊……』不由自主，他驚異得張開口，就如世上任何一名男子，無能爲力地爲這個夢魔一般的女人神魂顛倒。『啊……我的絕代佳人！』

他張開闊大的臂彎，意圖迎進他心儀的女人。

蒙娜麗莎瞪著他口腔內的食物殘渣，便厭惡地縮開。『低能兒！走開！』

阿二與阿三從後扶住激動的女顧客，而阿大這樣對蒙娜麗莎說：『翡翠小姐，你只要記住我這一句：這個男人有能力喚醒你的心跳。』

蒙娜麗莎再後退一步，她的情緒隨阿大的說話稍稍平復，並且喃喃自語：『我的心跳……』她伸手按到心房上。

阿大阿二阿三溫柔又諒解地朝著她微笑。

在她們的笑容中，蒙娜麗莎續漸回復了理智，她深呼吸，然後反問：『眞的嗎？』

阿大說：『Mystery 何曾欺騙過顧客？』

蒙娜麗莎望進阿大的眼眸內，然後，她就相信了。

她朝亨利八世望去，繼而說：『好吧！』

亨利八世的臉上湧出了亮麗的歡愉。世上再沒有比得到面前女子的首肯更令男人充滿榮耀和光彩。

蒙娜麗莎向他走去，一邊走，一邊從臉上綻放微笑。當她站定了之後，便說：『從今之後，你就是我的愛人。』

亨利八世滿心歡喜地再次伸出臂彎。他看見，面前美女的左邊嘴角正緩緩向上揚起，構成了一個迷人的弧度。正當他要陶醉在她的笑容中之際，那勾起來的嘴角邊緣有一道幻光掠過，詭異得如魑魅入侵。

亨利八世的心在一秒間怔住，合該有事發生。

果然，事情就不尋常起來。蒙娜麗莎的微笑依然，但眼神陰霾，她二話不說就伸手搶過亨利八世吃剩一半的雞腿，繼而高舉在他的眼前；當他完全想像不了將會發生甚麼事情之際，蒙娜麗莎就猛力把那雞腿插向亨利八世的左眼中。

『嘩——呀——』亨利八世慘叫。

蒙娜麗莎兇狠地邊插眼邊說：『還想吃嗎？仍要吃嗎？從來你的眼睛只能看到美食！我就是要你這雙庸俗的眼睛以後甚麼也看不見！』

她插完他的左眼就插右眼。

亨利八世掩住眼痛苦地彎下身來。『你……』

『我！我甚麼？』蒙娜麗莎一手捏住他的脖子，另一隻手暴戾地把雞腿強塞入他的口腔中。

『說甚麼！膽敢頂嘴！』雞腿愈塞愈入。

亨利八世臉色變紫，近乎窒息。

加尼美德斯站在三胞胎身後，此情此景看得他張大了口。

阿二瞄了他一眼，問了一句：『還要不要她？』

『……』加尼美德斯答不上話來。

亨利八世拚命掙扎，最終撥開了蒙娜麗莎的手，他跪在地上，痛苦地把雞腿吐出來。終於呼吸暢順了，他才仰起含淚的臉，乞憐說：『我……』

蒙娜麗莎俯下身去重重摑他一掌，斥喝他：『我……我些甚麼！』

亨利八世是這麼說：『我想告訴你，爲了你，就算被你活生生虐待至死，我也甘心。』

在場所有人都掛上愕然的表情。只有蒙娜麗莎的神色冷酷依然。她蹲下來，以極近的距離望進他的眼眸內，半晌後，平靜地對他說：『你放心，終有一天你會死在我手上。』

說罷，冷酷就從她的眉梢眼角驅散，繃緊的神色一點一點放鬆，輕軟的溫柔緩緩地滲透出來。當溫柔溢滿後，她就拍動睫毛，俏皮地讓眼眸內濺出媚態；當睫毛再拍動後，微笑便像鮮花綻放，說不出的甜蜜和旖旎。

這樣子的蒙娜麗莎美麗極了，然而亨利八世說不出他此刻的心情。他該以惶恐的心態咽下喉嚨中的口沫；還是以享受的心情去欣賞面前的美色？

蒙娜麗莎一直在笑，如繁花吐艷。

驀地，她的眼眸內掠過一絲暗光。亨利八世隨即屏息靜氣。下一秒……

下一秒，蒙娜麗莎如是說：『我想讓你知道，從今之後，我們會很幸福！』

說罷，她伸出手來按在他的臉龐上，輕撫他的耳畔。亨利八世合上紅腫的雙眼，茫茫然地滴出眼淚來。

~ Mona Lisa & Da Vinci ~

當達文西 Leonardo da Vinci 繪畫蒙娜麗莎之時，他已五十一歲，時爲一五〇三年。達文西早已是義大利首屈一指的偉大藝術家，從一四九五年至一四九八年，他繪畫出『最後的晚餐』。皇親國戚達官貴人都愛護他，他被重要的人物贊助發展藝術事業。他本身長得高大英俊，氣質灑脫不羈，一頭及肩的微曲長髮混雜了棕、金、銀三色，說話的聲調如音韻一樣富魅力；當他凝視一個人時，就有美化那人靈魂的魔力，被偉大藝術家的眼神觸及，頃刻身與心都滿載奇異的喜悅，最美的都一併降臨。

達文西就是如此非凡的人，有時候他甚至會爲自己的出眾而茫然，他總不明白，爲甚麼虛榮與崇敬來得那麼輕易，無論他做甚麼，別人都來不及稱好。

不得不自負起來，又不得不迷惑起來。對於自己以及周遭的人的反應，他都嘖嘖稱奇。有別於其他藝術工作者，達文西不止專長繪畫雕刻，他更是解剖學、植物學、光學、軍事、工程學、建築學，以及科技上的專才。在文藝復興時代，他的多才多藝叫整個歐洲讚歎不已，最有財有勢的人都樂於結識他。基本上，達文西享盡了榮華，他的人生是極成功的。

只是，寂寞總是揮之不去，無論他的創作心思多頻繁出眾，他總無法在其他人的讚譽中顯得安然。或許，寂寞是來自一種超前，腦筋與心靈走得太快，便與身邊的人顯得格格不入。

甚麼都有的男人卻認爲自己甚麼都沒有。心靈的歸宿該是何方何地？

於是，他特別酷愛星星。抬頭望向星際，那裡陌生、神秘、浩瀚，那遙遠的境地可會讓他找著點安慰？星星上可有人居住？他們的腦筋會否與他更接近？

那漫長的星宿，可否將他的寂寞瓦解？他把脖子伸得直直，感應著一種無人理解的親切。

自年輕時代，達文西一直做著許多令人歎爲觀止的事。爲了畫好一張人體素描，他研究解剖學，一口氣解剖了四十具屍體，厚厚的筆記本子內圖文並茂，極之精美詳盡；爲了畫好一朵花，他研究植物學；爲了調製出最美的色彩，他研究光學。他是世界上第一個記錄胎兒成長過程的人；他亦製造出一部模仿鳥兒翅膀的飛行器。軍事工程亦屢有建樹；建築方面更不用說；直升機草圖、降落傘草圖……他的構想令人匪夷所思。

未必明白他，但就是著迷於他。人們總是引頸以待，期待著他的下一個引人談論的構想。

達文西的魅力令他的主僱和達官貴人，甘心忍受他的虎頭蛇尾，他似乎沒法子安心下來好好完成一件工作，永遠興致勃勃大鑼大鼓地展開新計畫，但當事情進展到一半，他又被其他點子吸引。然而無人遷怒於他，身爲一代偶像，他有權力把精力任性地消耗。

一五〇三年，達文西應翡冷翠的富商喬康多邀請，爲其年輕貌美的妻子麗莎繪畫造像。

Mona Lisa 蒙娜麗莎的『Mona』，本意爲『夫人』。

據稱，麗莎夫人生於一四七九年的翡冷翠，出身爲下級貴族，十六歲時首度出嫁，隨後兩度喪夫。在依然年輕之時嫁給富商喬康多，替他生了兩名男孩，甚得丈夫的寵愛。

也有傳言說，麗莎夫人其實是當代著名的曼圖亞女侯爵伊莎貝拉；又有人聲稱，畫中女子乃那不勒斯貴婦迦蘭妲；更有人言之鑿鑿，麗莎夫人是達文西那不見光的情人，而情人的身分是男是女一直是個謎。

不如就由蒙娜麗莎自己將眞相顯露吧！當大畫家以極細膩的筆觸描畫出她的臉容時，畫中美女就被賦予了生命，也從此，她成爲了世上最神秘的女人。

達文西的確替喬康多夫人描畫了肖像，只是，他同時間繪畫了兩幅，一幅屬喬康多夫人所有，而另一幅，達文西自己保留下來，晚年時隨身帶到法國去。

麗莎夫人是美人胚子，但達文西想擁有一個只屬於他的完美畫中美女，因此，他以畫中人相近的坐姿和背景，創造出他心目中的蒙娜麗莎。

而理想中的肖像，就從鏡中尋。達文西以一張女性面容作爲畫中人的骨幹，然後再把自己的容貌融入其中。爲甚麼不？從來最偉大的戀愛都由自己愛自己展開。

他花了四年時間同時候完成兩幅作品，而最精巧的心血，他花了在私人的美女之上。她有與他相像的眼睛，但她那管鼻子比他的要挺直貴氣，她也有一張女性化的豐潤面形；而那奇異的微笑，則經過四年來不斷的修改。一張嘴巴要表達的，斷不止是一個微笑那樣簡單；而大畫家與他的畫中人，永遠有說不完的話。

達文西對蒙娜麗莎說的第一段話是這樣的：『十三世紀時，在遙遠的中亞地區內，人們會把優雅高尚的來賓殺死。這些氣派高雅的旅人，向當地一些民宿投宿，得到了熱情招待，卻萬萬料不到，居民看中了他的良好氣質，於是把他殺掉。』

唇形還未明確的蒙娜麗莎凝視著達文西，透露出一種不明所以。

達文西便說：『你準是猜不到因何他們專挑貴氣的人而非富有的人來謀殺，皆因他們相信，貴氣的死者的靈魂會久留在室內，他的優雅與矜貴就能降臨屋內各人身上。』

蒙娜麗莎的眼睛流動出『原來如此』的驚奇目光。達文西又說：『影子愈優雅美麗的賓客，就愈令那些居民有殺害的衝動。這些全是由《馬可勃羅遊記》中得知的。』說罷，他就放下了畫筆，在畫布旁踱前又踱後，細意打量蒙娜麗莎的臉容。最後他就決定：『看來你與我都是同一類人，同樣喜歡怪異的故事。』

是了是了，達文西的知心一定是一名鍾情怪異的妙女郎，她必然酷愛黑色、異類、新奇、不同凡響、謎一樣的事情。於是，她就該有一抹神秘的、絕美的、令人猜不透的笑容。

達文西開始描繪她的唇形。左邊的唇角向上揚，帶動了同一邊面部肌肉，顴骨顯得圓渾高聳。

達文西看著蒙娜麗莎的笑容，愈看愈入神，他對她的感受亦複雜起來。

『這個女人……』

凝望良久後，他就嘆了口氣。鬱悶降臨，他放下了畫筆，一聲不響離開了畫室。時為黃昏，他走在紫色重疊金黃色的天空下，心裡一片悵然。走呀走，走過村莊的街道，走過農地和園圃，繞過了小河後，又折回居住的那個角落。天已漸黑了，這夜的星繁滿佈。

他在家中後園抬頭看星，下人為他送上酒和麵飽，他吃吃喝喝，不發一言，一整夜坐著觀星，沒有入睡。夜漸散天際朦朧一片時，他才走回畫室，而手中多了一朵紅色的小花。

他把花放到畫架上，對蒙娜麗莎說：『花是獻給你的。』

蒙娜麗莎驚異地望著他，雙眼透出一點靈光。

達文西帶笑望向她的唇角，如此說：『你要道謝了，對嗎？因此你不可以有這種笑容。』他提起了畫筆，修改她的微笑。『你太詭異了，也太絕情和嘲弄。我該讓你變得柔情一點、嫵媚一點……因為，我會每天為你帶來一朵花，而你會為此而欣喜。』

於是，蒙娜麗莎就得到一個柔和的微笑，她顯得女性化和易動情，她的右邊嘴角與左邊嘴角同時候上揚。

達文西滿意極了，他看得出她是名喜歡戀愛的女子；而他，不介意愛上她。

曾經，達文西以為，他的蒙娜麗莎就該永恆地如此微笑。一個沐浴在戀愛中的女人的容顏就該如此模樣。

他請求她：『讓我愛上你，可以嗎？』

蒙娜麗莎滿臉通紅。接著，她就從自己的心房中聽到聲音。

『碰帕、碰帕、碰帕。』

達文西眼珠一溜，他也聽得見。

『碰帕、碰帕、碰帕。』

達文西合上眼睛靜聽，繼而，他就找著聲音的來源。

『碰帕、碰帕、碰帕。』

他笑起來，把耳朵貼在她的心房上。他一直的笑，隨著蒙娜麗莎的心跳節奏，他笑得興奮燦爛。

蒙娜麗莎垂眼凝視聆聽她心跳聲的男人，那掛於她臉上的笑容更加甜膩迷人。

這個男人把世上所有都賜給她，她甚麼都有了，就連心跳也不欠缺。

因爲愛情，就來了奇蹟。

過後的日子，他依著承諾每天送她一朵小花，常常凝視她的眼睛與她交換情話，當他說：『我愛你。』她微亮的瞳孔便會回話：『我也愛你。』他有不滿足的表情，她便會說：『李奧納多，我愛你就如你愛我一樣的深。』

他終於滿足了，於是就替她的嘴唇添上更艷麗的紅。

他把她描畫得晶瑩粉嫩，健美豐盈，她的肌膚有一層誘人的光澤。有一項細節倒叫他反覆更改拿不定主意，他搞不清楚她是否該有兩道眉毛。『沒有女人有眉毛!所有名門淑女全把眉毛拔掉，配上故意向上移的髮線，突出了微禿的前額。他們說，這才是聖潔光亮的化身。留有眉毛的女人是原始而野蠻的。』

但達文西又覺得蒙娜麗莎配上眉毛的話，會有一種野性美。他畫了兩道眉，然後就說：『好不好讓你反潮流？』他把眉毛留在她的臉上，隔了數天才又決定把眉毛除去。『留了眉毛的你與我太相像，令我產生不安的感覺……』說罷，他就聳聳肩。

『你看你，快將要獨立於我了!』達文西笑著說，而蒙娜麗莎也回他一個美麗的微笑。

『你愈來愈不像我，但我依然愛你。』他說。

蒙娜麗莎意圖燦爛地笑，然而做不來，於是只好從目光濺出愛意來表達她的興奮。

隨後，他把她的眼窩畫得深深，眼神慧黠，有那與觀看者四目交投的能力。他覺得這樣的眼睛就好了，他對她說：『你會想用這雙眼睛張望些甚麼？』

蒙娜麗莎的眼眸波光流動，她告訴他：『世界再大，我也只想看著你。』

達文西就笑起來，不好意思地搖了搖頭。大男人聽甜言蜜語，也會粉頰緋紅。

有一天，他告訴她：『我和國王見過面，他委託我設計軍事武器。另外，又把兩項設計草圖賣給玩具商人，讓他們製作會旋動飛天的機械玩意。看吧，我的聰明才智讓我倆衣食無憂。』

蒙娜麗莎含笑說：『都說你是最棒的！』

達文西抓了抓頭，喝了口酒，然後指了指窗外的星空，對蒙娜麗莎說：『我甚麼都最棒其實是不妥當的，世上無人及得上我的腦筋是件沉悶的事。無論我做甚麼，其他人也只懂得驚歎與附和。』

蒙娜麗莎就哀傷了，她忍受不了達文西有哀愁。

達文西知道她關心他，他苦苦地笑了笑，然後把畫架移近窗框，對她說：『看到那星系嗎？』

蒙娜麗莎回應：『星星是諸神的花園。』

達文西挨著畫架，溫柔地說：『有人提倡地球是圓的理論，後來他們就被抓了坐牢……我可不管地球是扁平又或是渾圓，我只想知道，星星上是否有人居住，而他們又是否與我共用同一個大腦……』

蒙娜麗莎也一同望向星空，她輕輕嘆息。

達文西凝視著她的眼睛說：『你知道嗎？我渴望溝通。當我覺得地球上的人無法與我溝通時，我就盼望星星上有我的同類。』

蒙娜麗莎聽著，剎那感到十分悲傷，她爲她的造物主的寂寞而內心抽動。她不知如何排解他的寂寞，她只知道，如果溫柔地笑，他或許會好過一點。

那夢般的微笑就柔柔釋放。

啊呀，看得造物主的心酥酥地軟。

他感動了，俯前輕吻她的唇，他對她說：『謝謝你，你的微笑就是一個愛意溢滿的擁抱。』

她知道自己做對了，心內滿高興的。

然後達文西就說：『世上除了你，無人了解我有多寂寞。』

達文西的眼睛內掠過一層淚光，看得蒙娜麗莎的心戚戚然。

驀地，她感到她的鼻頭發熱，而內心有股酸。

達文西喝醉了，他走到長椅上躺下來，四肢軟弱無力，看上去意興闌珊。多可惜，宿醉睡了的他看不見，蒙娜麗莎的眼角滲出了一點水珠。

她一早已活著。此刻他的哀愁更加給予她生命。她看著她所愛的人，縱然她未必明白這個世界，她也明白他的淒酸。

水珠混和了顏料，淡淡的粉白由眼角流下來，而這行淚痕就成爲了愛情的生命力的見證。

在哀愁中，她聽見了自己的心跳，那緩慢細弱的節奏，是一首憂傷的音調。

* * *

四年之後，達文西把一幅畫作交給喬康多，而另一幅，他秘密地收藏著。他總是以極精細的心思去完成他的作品，後世的人以科技透視他的筆觸，竟然因爲他的過分精細而找不著痕跡。

大家都縱容他的大膽、任性和對完美的追求，無人會爲他以四年描畫一幅畫作而動怒。但說眞的，後輩米開朗基羅就能以四年完成一個宏偉大教堂的所有壁畫，並且準時完成態度專業認眞，並不像達文西那樣花掉光陰四周探索，不能爲一件工作而專心下來。

達文西有了強勁的對手，他的藝術才華被米開朗基羅正面挑戰。比達文西年輕二十三歲的米開朗基羅，在二十來歲時已鋒芒畢露，他以雕刻家的身分踏足藝術圈，並且一舉成名。當達文西公開指責雕刻是低一層次的藝術時，米開朗基羅在三十來歲的年紀以磅礡的姿態印證了他亦是一名天才畫家，西斯汀教堂的圓頂壁畫，成就超卓，媲美鬼斧神工。

達文西很不是味兒，常常對蒙娜麗莎抱怨：『甚麼「上帝創造亞當」……整個義大利的人都在說著米開朗基羅……』

但當他親臨米開朗基羅的壁畫的跟前時，他就全然明白世間的才華不是他一人獨有。

當上帝伸出指頭接觸亞當的一刹那，全人類猛然甦醒，上天下地忽然得到了生命力，神把祂所能給予的都交到亞當的指頭上。

看得達文西熱淚盈眶。多久了，他未曾如此感動過。米開朗基羅把教堂的圓頂幻化成蒼穹，神與人之間的愛情的對話，活現在一個畫家的筆觸之盡。

也爲此，達文西沮喪了很久很久。以往他是整個歐洲的天之驕子，如今，榮耀與崇敬要與另一個人均分。

他對蒙娜麗莎說：『是否因爲我一向鄙視世人的讚譽，因此從今之後，他們的驚歎不再朝我而來？』

蒙娜麗莎嘗試安慰苦惱的他：『你才是天才中的天才！』

達文西苦笑，他抬眼望向星空，如是說：『以後就只有星星來愛我。』

蒙娜麗莎更正他：『不，你還有我！我永遠愛你。』她的眼眸內蕩漾著愛憐。

達文西粗暴地抓向自己的臉龐，繼而又把酒瓶塞進口中，狂放地一飲而盡。

蒙娜麗莎心痛。世間上就只有他與她相依爲命，她不能夠忍受他消沉悲痛。她凝視她所愛的人的臉，這樣說：『李奧納多，你望著我。』

達文西以醉眼望向她，他看見她眼內的一團火。她說：『藝術家的目標是創造不朽。米開朗基羅有他的教堂天花板，而你，有我。』

達文西與他的畫中美女四目相投，他看得出她的堅強和火焰。剎那間他訝異了，這個女人，並不如當初構想中的脆弱，她除了用來給他愛情之外，她還有更宏大的使命。

望著這個女人，達文西屏息靜氣、肅然起敬。

蒙娜麗莎凝重地瞪著他，她在探索他的思想。

戀人之間膠著一種無話的張力。

半晌後，他走出畫室，也沒就寢的意思。他走到室外，沿著花園一直往園莊的路上走，走啊走，滿有毅力地走入夜的盡處，步伐急速又沉重。

天亮他回來後，便對蒙娜麗莎說：『米開朗基羅要以整間教堂來呈現他的不朽，而我只要你一個就能做到。』

蒙娜麗莎舒了一口氣，情深款款地望著他。這個她所愛的男人，多麼富男子氣概！

達文西說：『蒙娜麗莎，你就是我的野心！』

蒙娜麗莎的神色明亮起來，她但覺，宇宙間的全部幸福就在這刹那湧到她心頭，再沒有女人的愛情可以來得比她的更崇高更偉大，她是這個男人的野心，他的不朽將會藉著她伸延到永恆。

蒙娜麗莎的肌膚亮出一層油潤的光澤，下意識地她已知道，她的地位將會崇高如聖母，達文西會讓她成爲主宰世上一切的女人。

達文西夜以繼日修改蒙娜麗莎的容顏，他改變她的眼神，改變她的微笑，最終改變她的氣質。

目標是要讓她成爲世上最令人難以忘懷的女人，世人只消看她一眼，就無法自拔。

『魔力。我要令你擁有魔力，你將要俘虜世上每一個人！』達文西數日數夜不眠，雙眼通紅，眼內火團灼熱燃燒。蒙娜麗莎尚未法力無邊，他卻先著了魔。

蒙娜麗莎的眼神變得複雜，除了嫵媚、動人、柔情之外，達文西令她的眼睛性感而曖昧，她的凝視像在說情話又像是不；似在施咒又似在夢囈。當觀看者與她的眼神接觸之後，就墮進世上最迷人的催眠之中，頃刻教人茫然，身心被攝進朦朧的迷霧裡。

她的嘴唇不再安分，她的嘴角若有似無地揚起，那種微笑已不代表戀愛，而是一種主宰。它嘲諷、使人卑微，而且全知全能。她甚麼話也沒說，但她令看著她的人知道，世上沒有任何事可以隱瞞她。

蒙娜麗莎變成一名靜靜不動、帶點古怪、蘊含著愛但無語的女子，她同時候反映出美與恐怖；安詳和不安，既貞潔又挑逗。她擁有了謎一樣的氣質，永遠愛著愛她的人，卻又永遠帶著距離和神秘，永遠叫人希冀。

在放下畫筆的一刻，達文西就說：『我要使人類愛你比愛活人更盛。男人爲你，願意把世上所有女人打入冷宮！』

『啊——』蒙娜麗莎消化著他的說話。

碰啪碰啪碰啪，她的心跳動得狂傲。

『你要比寶石更古老！你就是吸血鬼，不生不死長存永遠！你懂得所有生與死的秘密，你就是永恆！』

『啊——』蒙娜麗莎喘著氣，眼珠急速上下震動。

碰啪碰啪碰啪，那顆心快要由心房飛彈出來。

『你要永遠有令人渴望佔有你的念頭。而你，反過來從他們的渴望中佔有他們！』

『呀——呀——』蒙娜麗莎垂頭呻吟，她咬著牙關，讓靈性衝擊著她的血脈。

碰啪碰啪碰啪。她知道自己快支撐不了。

『你來吧！從今你永受崇拜！永遠不老！你熠熠動人！主宰一切！你是人世間的聖母！』

『啊——呀——』蒙娜麗莎仰臉高叫一聲。隨後，萬籟俱寂。

碰啪——碰啪——碰啪。人終於安然。

達文西停止了施咒，蒙娜麗莎也回復了她傲視人間的尊貴。

體內的靈魂已全然甦醒了。

＊　＊　＊

一五一六年，達文西離開義大利，前往羅亞爾河畔的安布瓦茲，為法國國王法蘭索瓦一世效力。那年他六十四歲，而蒙娜麗莎亦已相伴了他十三年，她是他唯一隨身帶往法國的畫作。

年老的達文西曾為自己的容貌繪畫肖像，他的鬍子長而鬈曲，頭髮亦然，雙目炯炯有神，皺紋滿佈但形神雍容威嚴。後世的人形容此時期的他形貌猶如摩西，甚至是上帝。

猶似上帝的男人依然深愛著他的畫中美女，他每天把畫架放在窗畔面向室外，讓蒙娜麗莎從窗邊遠眺世界。每次達文西外出，例必在大宅外抬眼望向畫室的窗前，他會以眼神交代與愛人小別的依依；而蒙娜麗莎，愉悅但默然地望著窗外的小路，那裡林木片片，遠一點有小河伸延，而她的愛人很快就會由路上歸來。

啊，盼郎歸。濃郁的愛情從窗邊四散，泥土、小草、樹梢、小鳥的翅膀上都沾上她對愛人的思念，一切都顯得那麼美，也那麼快樂。

從一扇窗中她看到了世界；在廣闊的世界中，愛人的身影就是她的所有期待。

幸福的女人，日子過得平靜愜意。

達文西的心事依然只有蒙娜麗莎才知，他絮絮的說著又說著，而他知道她定必明白。她的眼神明媚又慧黠，她的創造者賦予她甚麼都懂的心神。

見過蒙娜麗莎的人都免不了有點心緒不寧，畫中美女那朦朧的眼梢與嘴角，美麗卻又令人無法安樂。觀看者會說此似是而非的話，但似乎沒有單純的形容詞有力量概括之。

說她美她又不是；說這幅畫作好看又嫌膚淺；她既不神聖也不是裝飾物；她甚至欠缺一個大意義。一個女人，端坐在幽微的風景跟前，綠綠墨墨的，神神秘秘的，沒原因沒解釋，沒故事沒內容，沒教義沒道理……結果是，大家都不明不白，但又忘不了她。

達文西與蒙娜麗莎相視而笑，分享了戀人之間的秘密。

達文西害怕頻繁的小別會令蒙娜麗莎生悶，於是，他決定送她一份禮物。有一回，達文西買下了一條女性的屍體作解剖研究，這屍體懷孕七個月，嬰孩死在母體中。達文西把胚胎拿出來，放到玻璃瓶中製成標本，然後送給蒙娜麗莎。『這就是我和你的孩子。』他說。

蒙娜麗莎欣喜不已，她像一個母親那樣熱淚盈眶。

後來達文西更加發現，那是一個特別的胚胎，表面看來它是名男嬰，但在陽具之後卻又有一條陰道。『我們的孩子是陰陽人！』

蒙娜麗莎很高興，她喜歡陰陽人的神秘弔詭。

蒙娜麗莎常常對著胚胎說話，通常她喜歡把達文西的話重複一遍。『我兒，你知道嗎？我之所以受世人注意，皆因李奧納多打破了繪畫的規則。從四世紀的拜占庭時代開始，藝術成爲了教育的手段，目不識丁的人藉著畫中人物學習聖經的教義，而畫家不被鼓勵以激情來繪畫；一直到公元十二世紀步入了中世紀的時代，畫中人物的神情與姿態都需要有一定的法則，無論畫的主題是喜悅還是悲哀，畫中人的面部都木無表情。直到十四世紀，非宗教藝術流行起來，人物肖像畫就有了突破，畫風變得溫暖親切，細節動人，然而，畫中人的神色依然生硬木然。

『十五世紀開始流行模仿古希臘和古羅馬的風格，神話成爲了熱門畫作主題之一，色彩鮮艷畫風夢幻優美，只是，畫中美女神情呆呆的，並不願意帶出內心感情。

『一切都因李奧納多而改變，他帶著激情去描畫人的臉孔，使整張畫作喚發生命力，與現實生活無異。在他的「最後的晚餐」中，每個門徒的神情都不一樣，使觀看者感受得到各人不同的情緒。

『而我，就更不同凡響！你看我，我的眼睛會說話，我的嘴角有含意，我不止是一個畫中人，我有情慾有思想，我的神情在表達出一種溝通。』

蒙娜麗莎頓了頓，她不肯定胚胎是否明白她所說的，但她仍舊有意繼續說下去。『還有，李奧納多用了極細緻的技巧去朦朧我的輪廓線條，他把我的外貌一點一滴地融入背景之中。在我之前，畫家全都以清晰的線條描畫出畫中人的輪廓，於是他們看來全部假得可以。只有我，在淡去的陰影中呈現出一種眞實，我不再是一幅圖畫，我從他的手中變成一個眞人。我不僅美麗，我甚至能呼吸，我是藝術史上第一個眞正的女人！』

蒙娜麗莎沾沾自喜，傲慢地說：『這些都是他告訴我的。因爲他，我更明白我自己，我知道自己因何美麗，因何轟動，因何備受景仰。』

胚胎放在畫架前兩呎的桌子上，蒙娜麗莎終日與它相對。

她看著它，以爲它不懂，於是就嘆了口氣。『算了吧……』

忽然，玻璃瓶中的胚胎踢起小腳。

蒙娜麗莎眨了眨眼，以爲自己看錯。她再定神一看，胚胎不獨提起小腳，它甚至張開眼睛。

『啊——』蒙娜麗莎低叫。

胚胎的眼珠溜動，朝她看去。

『我兒……』蒙娜麗莎不可置信地搖頭。

接著，胚胎向她展露了一個嬰兒式的微笑。『嘻！』它甚至發出了聲音。

『你是活的！』蒙娜麗莎激動起來。

胚胎在玻璃瓶中俏皮地扭動身體，它的臍帶左右浮動，養活著它的藥水激起了小水泡。

『天呀！我和你都活起來！』

胚胎就朝她吃吃笑。那輪廓未完全成形兼且有點浮腫的小臉，表達著一種詭異的溫情。

從這一刹那，蒙娜麗莎就與胚胎有著不能分割的情感連繫。它半透明的身體滲透著一絲絲的血管；脆弱的指頭像剛綻放的小花；雙腿屈曲在小腹前，臍帶浮起；而那張小臉，圓圓的，帶點浮腫，眼瞼厚厚，鼻子一小點，唇形未明，那只是橫橫薄薄的一個小洞，耳朵小小的一片，像花瓣……蒙娜麗莎凝視著它，她發誓，她會永遠愛它。

當達文西回來後，蒙娜麗莎多番試圖向他證明胚胎是活的，然而當達文西在家時，胚胎只是安分地當著一件標本。

蒙娜麗莎似乎明白了點甚麼。達文西有法力令她活起來，她也有法力令其他東西活起來。在私人的愛的世界裡頭，總能輕易地法力無邊。

她對胚胎說：『我愛你，所以你才能活呀！』

胚胎開合嘴巴吃吃笑，帶著嬰孩奇異的猙獰。

蒙娜麗莎看著它，她也笑得很開心，那被譽爲史上最神秘的笑容，此刻勾動出一種心照不宣。

蒙娜麗莎享受自己那獨立於達文西的力量，她體驗著這種活的感受。

＊　＊　＊

當蒙娜麗莎以一個不生不滅的姿態存在時，她的造物主卻面臨生命的消逝。

達文西待在法國皇帝的身邊數年便與世長辭，在死前的一段日子，他傾盡所有力量與蒙娜麗莎話別。

她的畫架放在他的病床旁邊，他斜眼凝望她，吐露出他想說的話。

『謝謝你陪伴我多年，你使我的人生光亮起來。』

蒙娜麗莎惻然，她紅著眼眶說：『你別走……你走了之後我可怎辦？』

達文西的呼吸沉重，緩慢地告訴她：『我走了之後，你只有更光芒萬丈，人們會因爲你而念記我……或許，他們更會只顧崇拜你忘掉我……』

蒙娜麗莎說：『沒有你，我將會寂寞至死。』

達文西輕輕搖頭。『不，你會受億萬人所崇拜，他們不會讓你有一刻的寂寞。』

蒙娜麗莎的眼淚由眼角流下，她苦苦地說：『我不要他們！我只想要你。』

達文西嘆了長長的一口氣，他告訴她：『如果你愛我，你就照我的說話去做。』

蒙娜麗莎含淚垂下頭。

達文西說：『請你把世界征服，就如你征服了我的心那樣。』

蒙娜麗莎咬著唇，悲痛地嗚咽。『呀……』

『你記著，你即是我。我是強大的、自負的、勇敢的、受崇敬的……我要藉著你而成爲不朽，世人一看見你的微笑，就會記起非凡的達文西。因爲你，我的一生沒有白費……』

說過後，達文西的體力就透支了，他合上眼瞼，陷入了朦朧的昏睡之中。

窗外的天際有一道光急速地劃過，蒙娜麗莎把眼珠溜到夜空中，一股奇異的感應就由那光芒衍生。接下來，星光又再劃過天際，一道兩道三道，飛揚地明顯地，讓所有抬頭的人都看得見。異樣的光芒正期待著些甚麼。

達文西去世當晚，大家都有預感。資助他的皇室早爲他準備去世後的細節，一輪頌禱之後，皇室成員依從達文西清醒時的吩咐，全部退出寢室，留在身邊的，只有那幅蒙娜麗莎。

他的頭側向她，他的身軀敗壞臉容乾癟，但一雙眼睛仍然充滿愛，他就用這樣的眼睛凝視他的愛人。

再見的話還未說，蒙娜麗莎已流滿一臉的淚。『我很害怕……很害怕……』

達文西說：『別再哭泣，眼淚溶化了顏料，畫匠很難修補。』

蒙娜麗莎勉強吞下要跑出眼眶的淚，但愈是制止，愈飲泣得抽噎。

『別去……別去……』她苦苦哀求。

達文西卻說：『不知怎地，我的感覺很好……』他半閉著眼瞼，神色平靜。

蒙娜麗莎悲痛地說：『不如你帶我走……』

達文西告訴她：『你不可以走，你要為我留下。』

蒙娜麗莎咬著牙關，悲淒地搖頭。『不……』

達文西慈愛地說：『我答應你，以後的日子你要風得風，你會主宰一切，就如我當初為你許下的願。』

『我不要……我不要……』蒙娜麗莎可憐兮兮，哭得肝腸寸斷。

『你知我要甚麼……你知我要甚麼……』美麗的臉容，崩潰在痛哀中。

達文西慈愛地凝視她。他的心很痛，他給予她生命，因此致令她承受悲傷。造物主看著他的完美傑作，內心惻然。

蒙娜麗莎掛滿一整臉的淚，悲傷正腐蝕著她的容顏，達文西不知自己尚餘多少口氣，他傾盡所有力氣望著她，虛弱地，能看一眼就一眼。

溫柔的暖意蕩漾在彌留死亡邊緣的老人心上，這張臉孔……這個女人……啊呀，他發現了他是多麼愛她，而她又是多麼的美……

『感謝你……』他輕輕說。

蒙娜麗莎哭得嗆住喉嚨，發不出聲音。

因為他，她才會如此悲傷。

達文西長長嘆了一口氣，把目光投向窗外的星星，他如此說：『我的人生，只有一件憾事……』

蒙娜麗莎淚如雨下。

達文西說：『你知道嗎？我很想好好握著你的小手……好好擁抱你……』

『呀……呀……』蒙娜麗莎震驚地哭得啞然。

達文西說：『我們相愛，卻不能擁抱……』

蒙娜麗莎哀痛得呼天搶地：『不……不……不……』

最後，達文西所說的話是：『爲甚麼？』

他把目光溜向那張他所創造的臉，再一次把她的眼睛她的唇角烙在心間。然後，眼眸內的晶光漸漸淡退，在愛人容顏盡處沉落後，達文西的生命就此消失。

蒙娜麗莎張大了口，瞪著達文西那雙無光的眼睛。它們並沒有合上。

窗外，數顆星星急速滑過，耀眼的白光在黑夜裡燃燒。蒙娜麗莎沒回頭看，她猜不到亦無法想像，當中一顆星，正乘載著達文西的靈魂，把那超越人間的才智，帶回原屬於它的地方。

偉大藝術家沒猜錯，閃亮的星空，的確就是他的歸宿，剛才他剛完成了一段使命重大的旅程，以後他將彌留在分量相同的同伴之間，不再孤獨……

而蒙娜麗莎在極度的悲傷中得到奇異的力量，她從畫中座椅站起來，雙手伸出畫框之外，當猛地一撥後，她就突破了平面的空間，繼而雙腳著地，蒞臨到人間。

她沒心情去感受融入塵世的驚喜，那衝破障礙的力量，來自一個擁抱的渴望。

她已撲到達文西的屍首之上，她抱住他悲哭。她彌補了他一生的最大遺憾，可惜他不會知道。

『你感覺到嗎……你感覺到嗎……』

『李奧納多達文西！你醒來……你醒來……』

她抱著他的屍首猛地搖晃，達文西的雙眼依然睜著。最該看見的，卻看不見。

她哭得兇，口張得大大，缺堤那樣崩潰。蒙娜麗莎已不再是蒙娜麗莎。

相愛的人，最終得到這樣的擁抱。

＊　＊　＊

當眼淚流盡了，當眾星不再劃破夜空時，蒙娜麗莎仍舊擁抱她深愛的人的屍首。她伏到他心房的位置，感受不到他的心跳，而在同一瞬間，她猛然察覺，她的心跳也一併被他帶走。

她把手按在因悲傷而灼熱的胸膛上，感覺到當中的空盪和蒼涼。在會行會走之後，她失去的竟然更爲重要。

＊　＊　＊

達文西死後，法國皇族開始修補蒙娜麗莎臉上掉落的色彩。他們一直以爲，那是因爲達文西選用了不適合的顏料所致。當修補妥當後，這幅畫作就被封密收藏，最後輾轉被擺放到巴黎的羅浮宮博物館內。

當蒙娜麗莎重新面對人群之後，她便從人們的呼吸中甦醒。觀看者對她的驚異、讚歎和愛慕，喚醒了她的意識。猶然記得，因著愛情，她答應了一個使命。她要爲那逝去的愛人而顛倒眾生。

有時候趁別人不注意，她就從油畫框中步下，游走在奇異的空間中，大多是漫無目的，茫茫然，不知何去何從。

她發現了她已不能快樂起來。失去了她的造物主，教她如何能夠快樂？創造她的人都不在了，留下她一個在塵世間孤苦無依。

爲了成就她所愛的人的不朽，她在永恆中孤身上路。世間上再沒有人像她那樣明白寂寞。

她按著自己的胸膛，心仍在，但已不再跳動。

當悶極無聊，她就有戀愛的衝動，有時候會找著對象，有時候不。當中有負責替她修補的畫師，又有博物館的職員、來賓；突破一點的是從酒吧中結識的男人、航海的大冒險家、英俊的富商、愛感嘆生命的皇族公子。

而自十九世紀開始，蒙娜麗莎的熱潮正式展開，印刷技術發達，攝影也誕生，就算沒到過羅浮宮，世人也有幸一睹蒙娜麗莎的芳容。而就在意料之中，她迷惑了所有觀看者，就連她的複製品，都魔力無限。

每個人都能從她的眼角唇邊得到一種獨特的體會；她似乎是屬於所有人，也似乎不。

她藉著不同的媒介透露出她的魅力和思想，她也向所有凝視她的人發問：『你了解我爲何微笑嗎？』當問題自她的唇邊流動，那些面對著她的人就不得不花心神找出答案。

只要看過她，人們就不能自拔地花上生命光陰去研究她。她烙入了每一個人的心，世上每一條生命也湧出過蒙娜麗莎的名字。

戀愛的機會就更繁多。蒙娜麗莎藉著一個印上她肖像的水杯使三千二百人愛上她；她的明信片俘虜了二十五萬三千六百五十六人的心；印刷品的傳閱量驚人，藉此她曾與三百九十萬人談戀愛；燙上她的樣子的T恤就爲她帶來五十萬次以上的戀愛經驗……

她可以分身在不同的媒介中，幻化成一個活人模樣，走出來尋找她的戀愛對象。他們會談心、接吻、發生關係、嫉妒、思念、誤會、許下盟誓……他們做盡了戀人會做的事；而在最後，蒙娜麗莎讓他們忘記是次經歷，不帶回憶地繼續走他們的人生。

蒙娜麗莎就在這些人的心坎中留下餘韻，曾經有一個神秘、幽微的女人，來臨過愛戀過，繼而又失卻芳蹤；像一個夢，曖曖昧昧，刺激了官能，如幻似眞。

『蒙娜麗莎……』成爲了最多人夢囈的名字。

數不盡的戀愛，她甚麼也試過了，卻沒有一次令她滿意。總找不著當初與造物主一起的感受。爲此，她深感淒然。

人再多，卻沒有動過心。蒙娜麗莎輕按心房，她體會了何謂行屍走肉。

後來，隨著科技的發達，人類發現了一個達文西的秘密。科學家對他的腦軸射線加以測試，結果證實了達文西的腦力首屈一指，比拿破崙、畢卡索、甘地，甚至是愛因斯坦等人超越更多，爲常人的二點四倍。他是世上最聰明的男人。

蒙娜麗莎得悉後甚爲驕傲，她居然是世上最聰明的男人的愛人。但其後，在觀看一次大規模的流星雨時，她忽然靈光一閃，天呀，這個世界上最聰明的男人其實是不是人？她依然記得在他臨終的那段日子，星星奇異地在長空飛躍，它們是否正降臨地球準備把他接走？

想到這裡，寂寞只有更深。她所愛著的人有他自己的世界，而那個世界，她完全不懂。

她只知道那個誕生爲人的達文西。而那個達文西，早已狠心地離她而去。

若果他眞由天上的星星而來，如今在星星之上的他可有記憶？她想念了他數百年，他可會偶有一秒憶記過她？

寂寞來得很深很深，而感受悲傷又複雜。

他大概已找到了十萬八千個能順暢溝通的同伴了。而留下來表揚他的不朽的女人，日復日地孤身上路。

當造物主不再寂寞，延續他使命的使者，卻只能與孤獨爲伍。

蒙娜麗莎忽然覺得自己被拋棄了。原本，她被創造出來用以化解造物主的寂寞，如今，造物主無可能再寂寞了。世上所有的孤寂，全遺留下來給她。

她掩臉落淚，不知怎去抗衡這孤獨。心房內的心早已不再跳動，光芒萬丈地活了下來後，卻連一點美好的感受也沒有。

有再多十萬八千人愛上又有何用？心瓣都跳不動。

長長地嘆了口氣。『呼——』好孤獨好孤獨。

在人世間遊走得愈久，就愈迷惘失神。她盼望極了那愛的感覺。

每當有人愛上她，她也思考如何能以愛還愛，卻沒有一次能成功。她已完全失掉了愛的感應。

究竟，怎樣才可以重獲愛的感受？當初與造物主之間的心靈連繫，如何才可重來？

她抬頭凝望星空，造物主把她的心跳帶走後，會在哪一天歸還她？她的心跳可會就是星星眨動的眼睛？她伸手企圖觸及天際。她的心跳遙遠得可望而不可即。

『還我心跳！還我心跳！你何苦要我寂寞至此。』

星星與她對望，明媚地、溫柔地，閃呀閃呀閃，卻甚麼也不願告訴她。

後來，蒙娜麗莎碰上Mystery的三胞胎，她們對她極有興趣，那美艷的三胞胎告訴她，她們會幫助她一步一步得回愛的感應。

阿大對蒙娜麗莎說：『首先，感謝你成爲我們的顧客。』

蒙娜麗莎頷首，帶笑說：『我也希望獲得專業的愛情指引。』

阿二告訴她：『單單一、兩次戀愛很難達成理想目標，但我們會扶助你慢慢納入正軌。』

蒙娜麗莎說：『任由我再經歷多一千萬次戀愛，我的感受都空空如也。我的心已無法爲愛跳動。』

阿大問她：『你知道嗎？在這五百年間，你已成爲一個更加複雜的女人。』

蒙娜麗莎說：『原本，我的造物主就賜予我一個非凡的個性。』

阿三說：『他要你既妖媚又貞節；既祥和又暴烈；既全知全能但又一無所知……他給了你太多，也令你太矛盾。自他離去後，你失掉了指引，難怪感到茫然。』

蒙娜麗莎嘆了口氣。『事到如今，我甚至不知道自己該當個怎樣的女人、過怎樣的生活、談一段怎樣的戀愛……以及，如何心跳。』

三胞胎齊齊點頭，然後阿大就問：『不如這樣……近來有甚麼事情刺激了你的官能？』

蒙娜麗莎溜了溜眼珠說：『我近來看了 Marquisde Sade 薩德侯爵的著作，對那種施虐式的關係，我躍躍欲試。』

三胞胎互相交換了一個眼神，然後，阿大阿二阿三就開始對話：『狂暴的施虐或許可以引發強烈的感應。』『強烈的感應大概可以喚回心跳。』『她各色各樣的戀愛也嘗試過，就是未嘗過SM式的。』『試一點新事情或許就會有新感應。』

結論是：『我們支持你，並且會爲你挑選一個最合適的人選！』

蒙娜麗莎的眼神就滿載期待。『我已等了這一天太久……』

阿大說：『來吧，我們 Mystery 從不令顧客失望。』

蒙娜麗莎掩嘴狂笑：『哈哈哈哈哈！我快將可以盡情虐待一個愛我的人！我很興奮！』

蒙娜麗莎有那急切而渴求得咬牙切齒的神色：『我被世人那些平庸的愛情悶透了數百年，今回我終於可以舒一舒氣！你們會明白嗎？我不會死又不會生，生生世世被一個二個無聊過路人愛上……我是多麼鄙視他們的愛！一直以來，我是沉住氣地去應酬他們的愛情！現在，我終於有機會教訓一個深愛我的人！我懷疑之所以我的心不再跳，皆因是被這些人悶壞得不懂再跳。』

阿三眨了眨眼，忍不住呢喃：『果然是個複雜又混亂的女人……』

蒙娜麗莎花枝亂墜地繼續狂笑：『哈哈哈哈哈！』

阿二小聲地回應阿三。『無辦法，她的心靈只是一團顏料……』

『哈哈哈哈哈！』蒙娜麗莎已狂笑得臉孔漲紅。

阿大白了阿二阿三一眼，繼而就對不能自控的顧客說：『身為我們的ＶＩＰ貴賓，你就盡情享受吧！你要甚麼我們也會給你！』

蒙娜麗莎在一秒內收斂起狂妄的笑聲，認真地說：『我希望藉著今次愛的突破，得回我的心跳。』

阿大就回報她一個體貼的微笑。

驀地，房間的燈光熄滅，阿大捧出一個玻璃盒子，當盒蓋被掀開，內裡的翡翠就旋動出青春的光芒。阿大望著牆上的影像，這樣說：『看看你的青春有甚麼話要說……』

影像中出現了自己的臉，在那張舉世知名的臉孔上，浮動著因得著愛情而來的陶醉與嫵媚。她面前站著一個男人，影像中只看到部分的背影，而這個背影正把她抱擁得那麼緊……

那一定是一個了不起的擁抱了，要不然，她臉上的幸福不可能那樣醉人……

蒙娜麗莎式的笑容就掛在臉上，隨著那微笑盛放，擁抱她的男人卻緩緩倒下，影像中的一雙玉手，全被血染得鮮紅……

影像下，蒙娜麗莎的坐姿就如達文西當初替她構想的一樣，挺直端莊，尊貴又高雅。她靜靜細味這段將要發生的戀愛，會有一個男人，為著愛情，甘心情願被她肆虐、甚至謀殺；她將擁有至高無上的權力，而那個男人，卑微如糞土……想著想著，當心頭的興奮流動蔓延後，她的笑容就滲透出一種瑰幻的陰邪。果然，蒙娜麗莎是代表了美與恐怖的化身……

世界上最複雜的女人，正向驚天地泣鬼神的戀愛邁進……

~ Mona Lisa & Henry VIII ~

蒙娜麗莎走在英國的古老城堡中。她雙手輕放腰前，右手握著左手，步履穩定優雅，黑色長袍拖曳在古舊的雲石地板上，蒙娜麗莎垂眼一看，就看到雲石花紋上滲透著淩亂的啞紅色，不知是哪個貴族的血，固執地千年不肯驅散。城堡的樓底很高，起碼高五十呎，但日光照不進來；縱然是日間，也昏暗沉鬱。黑色鐵燭台每三步一座，半熔的白蠟燭日夜長照，城堡內處處都是燭光晃動的影子。

誰想住進這樣的地方？偏就是有人爲了幽暗中的那個寶座，耗盡千軍萬馬也在所不辭。

蒙娜麗莎邊走邊瀏覽掛在牆上的肖像，愈看愈皺眉，個個眼神空洞，面無人色。終於也走進大堂中央。她看見小台上置有一張巨型木椅，於是便徐徐上座。那姿態一如過往五百年，身微傾向右，腰挺直，右手按在左手之上。她掛上了具耐性的微笑，她不介意等待。

不久，亨利八世沿著蒙娜麗莎走過的路邁進，他的眼神顯得一心一意，一直專注地凝望著她，對於她霸佔了他的位置，他也表現得極之樂意。當他走近了之後，蒙娜麗莎甚至看見，他的神情是喜孜孜的。

亨利八世在蒙娜麗莎的腳畔下跪，親吻她垂下來的手背。然後他抬頭，就看見她那雙潤澤亮麗的妙目，不期然地，一顆心酥酥軟。

那究竟是一個怎樣的詛咒？只望她一眼，人就神魂顛倒。

蒙娜麗莎溫婉地凝視他，坐姿端正高雅。亨利八世維持單膝跪下來的姿態，仰起頭來對她說：『歡迎殿下來臨舍下。』

蒙娜麗莎聽見他專稱她爲『殿下』，立刻笑出聲來。『那該是我對閣下的專稱。』

亨利八世誠懇地說：『只要一天你仍願意留在我身邊，你就是我的君王。』

蒙娜麗莎探索他的眼神，繼而說：『國王，你曾對多少個女子說過這樣的甜言蜜語？』

亨利八世輕輕搖頭。『她們沒資格得到這種稱許。』

蒙娜麗莎笑問：『國王的六名妻子也沒資格？』

亨利八世再次搖頭。『只有你。』

蒙娜麗莎定定地凝視他，然後笑起來，那笑容亮麗又具威嚴。

陽光被烏雲覆蓋，天際驀地一黑。風由不知處吹進來，過千枝白蠟燭的火焰隨風傾向一邊，風撲火，那響聲詭異。

亨利八世說：『殿下，你剛才的神情媲美我的女兒伊莉莎白。』

伊莉莎白一世是英國最偉大的國君之一。

蒙娜麗莎裝出一個驚異的表情。『是嗎？那麼我明日就塗白臉孔，把自己化身聖母。』

亨利八世說：『殿下已經如神如聖，無需任何人工化的修飾。』

蒙娜麗莎看牢他，繼而掛上一個大大的微笑。『你稱呼我爲你的君王，看來，你已準備妥當如何過往後的日子。』

亨利八世顯得必恭必敬。『我的生死榮辱，一切有待殿下發落！』

蒙娜麗莎問：『甚至連尊嚴也可棄掉？』

亨利八世堅決地說：『爲了得到殿下的愛情，我甚麼也可以捨棄，再苦痛的也可以承受。』

蒙娜麗莎掀起一邊嘴角，這樣說：『就算那痛苦超越人能忍受的程度？』

亨利八世望向蒙娜麗莎，他的眼神無比的堅毅。『只要想起或許有天殿下會愛上我，我就在所不辭！』

蒙娜麗莎與他四目交投，從他目光中探索他的靈魂。看了半晌，蒙娜麗莎就在寶座上站起來，踏下台階，說了一句：『你這個人眞犯賤！』然後高傲地擦過他身邊，尊貴地昂首離去。

遺留了依然跪在原地的一國之君。他卑微地垂下頭，被罵之後，仍舊一臉微笑。

* * *

亨利八世Henry VIII，一五〇九年十八歲繼位，爲英國國君。身爲二王子的他原本不是儲君人選，兄長Prince Arthur亞瑟王子早逝，他才有機會登上王位。

亨利八世的個性十足紈袴子弟，他生性霸道專橫，心想的必定要事成。他長得高大魁梧，六呎高，體重接近三百磅。亨利八世亦是一名很活躍的人，嗜好繁多，精通狩獵、騎射、舞蹈、音樂、建築。他會說多國語言，亦能彈奏多種樂器，包括豎琴、風琴、維吉那琴、琉特琴。多才多藝的他是作曲能手，名垂千古的『Green Sleeves』，聽說是出自他的手筆。

終其一生，亨利八世也周旋在女人堆中，他先後有過六名王后，情婦無數。在位三十八年期間，他最聞名的事蹟，就是所娶的王后的數目，以及為了與第一任王后離婚而脫離羅馬教廷。

亨利八世的第一任王后是Catherine of Aragon，西班牙國王之女嘉芙蓮。她亦曾嫁給英年早逝的亞瑟王子；十六歲那年，她成為英國王妃，同年，卻又變成寡婦。八年之後，她再嫁給亨利八世。在超過二十年的婚姻中，亨利八世與嘉芙蓮有過親密而美好的關係，嘉芙蓮相貌美麗，富有西班牙女郎的情調，髮色棕紅，輪廓深邃，個性堅毅而且虔誠，雍容又能幹。唯一的不足之處，是未能為國王誕下繼承王位的兒子。她曾懷孕八次，但只有瑪麗公主能健康成長。

亨利八世高傲專橫，從他的角度看去，嘉芙蓮未盡王后的責任。隨著王后年紀漸大，亨利八世認為她誕下兒子的機會極微，於是就萌生廢掉王后的念頭。

就這樣，他就忘卻了二人有近二十載婚姻的恩情。

亨利八世一直甚受女士歡迎，他擁有的情婦無數。而當中王后的侍女Anne Boleyn安寶琳最得他歡心。她與嘉芙蓮是兩類型的女性，安寶琳皮膚白皙，臉形瘦削，長相蕭森冷傲，有種不食人間煙火的魅力。骨子裡，她聰明又工於心計，很懂得玩弄男女之間的角力戰，對於亨利八世，她欲拒還迎，堂堂一國之君，花了整整三年時間的追求，才能一親香澤。

因為太難追求到手，亨利八世對安寶琳有著近乎迷戀的情意，對著步入中年的嘉芙蓮就更感厭惡。但他苦無休妻的藉口，甚至擺出了『叔嫂結合』的不倫理由也不成功。英國一直遵守羅馬天主教的教義，其中一項為婚姻的約束，婚姻只可以死別，不容許生離，此教義在亨利八世眼中構成極大阻撓，他無論如何都要達至與嘉芙蓮離婚的目的。

亨利八世的身邊一直有一班治國心腹，當中著名的有紅衣主教 Thomas Wolsey 托馬斯沃爾西，他一直是亨利八世的左右手，國內朝政多是由他掌權的。卻只因爲他未能成全亨利八世與嘉芙蓮的仳離，便被亨利八世藉詞處死，一代重臣在被押送往倫敦塔的途中死去。

一五三三年，安寶琳有了身孕，亨利八世更是非離婚不可，只有正式迎娶安寶琳爲王后，她的腹中骨肉才有正式繼承皇位的權力。最後，亨利八世成功脫離羅馬教廷，達成了他的目的，他本人亦成爲英格蘭教會的最高首領，不須再依從羅馬教廷的教義，表現得甚爲強硬和決絕。亦從此，嘉芙蓮不再是英國的王后，她公開地被丈夫離棄，甚至他們的女兒瑪麗，亦由公主被貶爲宮女。

亨利八世本身仍保持天主教徒的身分，但卻十分支持國內日漸壯大的『新教徒』活動。而安寶琳在三十一歲之齡如願當上英國王后，只可惜寶座還未坐穩，亨利八世又變心。安寶琳誕下的是女兒，取名伊莉莎白，亨利八世極度失望。爲著補救危機，安寶琳匆匆又懷孕，但亨利八世已開始質疑她能否替他誕下兒子的能力。他已忘記了當初與她是如何相愛，安寶琳那不爭氣的肚皮，令她失掉亨利八世的所有寵愛。亨利八世當初對她的迷戀，不消數載就煙消雲散。

安寶琳隨後流產了兩次，亨利八世對她顯得甚不耐煩，這一次他不止想到離婚，他更希望可以乾淨俐落地剷除她。安寶琳未肯相信亨利八世的變心，她使出激將法，故意與宮中的達官貴人調笑，以圖令亨利八世妒忌，重燃對她的愛意。殊不知，就此惹來殺身之禍。

安寶琳沒預計的是，亨利八世的心一變，便無可挽回。作爲英國最重要的男人，他的選擇繁多，既然已不合胃口了，當然就另有打算。很快亨利八世就看上了別人，她是安寶琳的近身侍女，Jane Seymour 珍西摩。珍西摩長得嬌小白皙，氣質柔弱，個性單純簡樸，她一直未敢接受國王的情意，對整段關係顯得退縮膽怯。為了表明女性的矜持，每逢與亨利八世見面時，珍西摩必定要求有年長女性在場相陪。亨利八世為了珍西摩的退縮顯得更戰意鼎盛，愈不讓他得到，他愈是非要不可。

亨利八世為了得到珍西摩的歡心，也為了增加得到兒子的可能性，他決心剷除安寶琳。這一次，他要她人頭落地來了結此段婚姻。安寶琳對他所用的激將法，剛好令他與參謀有藉口製造出她通姦的罪證，甚至指明安寶琳與她的親弟有染。最後，亨利八世的第二位王后於一五三六年，二人婚後的第三年被斬首示眾。

亨利八世對於他所深愛過的女人顯得無情冷酷，態度令人不寒而慄。

同年，他迎娶了珍西摩，怯生生的新王后態度謙和，未敢放肆享受當上王后的光榮，但亨利八世十分寵愛她，待她如珠如寶。不久她懷孕了，而且誕下王子愛德華，亨利八世更對她愛護有加。可是，珍西摩福分不夠，剖腹生產數天後，她就得了產後綜合症，兩星期後死於血液中毒。她於二十七歲當上王后，二十八歲死亡。

聞說亨利八世傷心欲絕，亦聞說他是眞心眞意深愛珍西摩。只是，若然珍西摩不能誕下王子，她的命運大概與安寶琳相同。始終亨利八世眞正需要的不是愛情，而是王位繼承人。

得到寶貝兒子之後，亨利八世的為人就顯得沒那麼絕情，而他也有了揀選新王后的新準則。作為國王的伴侶，有甚麼比美貌與智慧和情趣更重要？珍西摩死後三年，有人給亨利八世談親，對象是德國公主Anne of Cleves。亨利八世只看過畫像就答應了親事，然而當公主眞人一露面，亨利八世立刻決定休妻。安妮的皮膚黝黑，輪廓粗大，她有下垂的眼皮、大鼻子與薄嘴唇。更甚的是，她不會說英語，而且甚麼嗜好也不會，與其說她是公主，不如說她更像農民。精通各類玩意的亨利八世，才不會想要一名既醜又悶的女人作爲伴侶。

亨利八世不肯與她完婚，新婚六個月之內，安妮仍然是處女。亨利八世氣上心頭，他首先進行的是，把撮合這段婚姻的大臣Thomas Cromwell托馬斯金威以叛國罪處死，另外就是向安妮的侍女群中打主意。今回他看中了年輕活潑風騷的Catherine Howard，姬芙琳，亨利八世在與安妮離婚後第十六日便娶她爲妻，姬芙琳當年十七歲。

那一年亨利八世四十九歲，身形痴肥，臃腫多病。他患有天花、梅毒、腦血栓和雙腿潰爛。姬芙琳沒有眞心喜歡過他，她在兩年的婚姻中不停與年輕的愛人鬼混，亨利八世受辱了，於是以叛國罪判她死刑。

亨利八世忽然明白他的黃金時代已全然過去。得不到年輕美女的垂青，又得不到臣民的愛戴。他暴虐地對待異己，任內期間隨隨便便處死了五萬人。晚年時代，他顯得孤獨無助，痴肥的身形甚至使他不良於行，就連上下階梯，他也要以吊車吊上吊下才成事。亨利八世已成爲一件負累臣民的怪物。

在五十二歲的時候，亨利八世娶了第六任王后，Catherine Parr，凱撒琳，她結過兩次婚，第一、二任丈夫都早死。凱撒琳相貌平平，年齡不輕，但她受過良好教養，性情溫和得體，是名理想的妻子以及母親人選。亨利八世與她一起四年之後便駕崩，在人生的最後四年中，亨利八世的最後一任王后，把他照料得無微不至。

歷史學家研究，亨利八世與凱撒琳甚少有肌膚之親，凱撒琳的角色更像一名貼身看護。而當亨利八世死後的數個月，凱撒琳又找到第四任丈夫，他是珍西摩的兄長，亦是未來國君——年少的 Edward VI 愛德華六世的舅父。

在五十五歲之齡魂歸天國的亨利八世，死後的魂魄反而有些糊塗，一生強橫霸道，無人有權阻撓，但身故後，魂魄卻茫茫然。

『硬是有些事情不明白……』魂魄經常喃喃自語。

魂魄覺得不明白的，其實是愛情。

死亡判官問他：『你在這生人中學會了甚麼？』

魂魄就回答：『在與羅馬教廷決裂期間，我學會了勇氣；爲了抵禦外來入侵，我建立了強大的海軍部隊，從此我學會了準備的重要性；我重視居住環境，我在位期間，我總共興建了四十多所城堡和大宅，從而我精通建築；我支持宗教改革，我容許聖經由艱深的拉丁文翻譯爲英文，以便一般人有能力閱讀，因此我明白了分享知識的美好；當然我也學會了精研美食、音樂、狩獵、舞蹈以及其他一眾玩意……』

死亡判官點點頭，這樣說：『但愛情呢？你在愛情中學懂了多少？』

魂魄就開始茫然起來：『我總共有六名王后，但是……』

死亡判官耐心地等待。

魂魄茫然地說：『但是，我發現我根本無好好愛過她們。』

死亡判官問：『你如何對待她們？』

魂魄內疚極了。『我隨意捨棄她們，她們於我只是一種工具……』

死亡判官說：『她們是情慾的對象、生產的工具、照顧你所需的給予者。但你沒有眞正的愛過她們，你對她們可說是毫無付出，兼且手段殘忍。』

魂魄喃喃自語：『她們都說我是個殘忍的君王，我肆意處死身邊的人，不獨是妻子，更有盡力輔助我的功臣，我總是一覺得不對勁、不合胃口就下格殺令……對了……我就是這樣的人……』

死亡判官如此形容他：『你專橫無情決絕，反臉不認人，永遠只有別人向你作出貢獻，而你絲毫不付出。一不合意就置別人於死地，毫無惻隱之心。』

魂魄長長嘆了口氣。人死後，自然就懂得爲自己的過錯而難過。

死亡判官說：『就當部分責任歸咎於大環境，你的一生處於極權主義年代，身爲一國之君，你的殘忍會被視爲保國安民的果敢舉動，而十六世紀的人還不懂何謂人道主義。你沒有這種智慧，也算情有可原。』判官頓了頓，再說下去：『只是，連愛情都不懂，就完全說不過去，靈性也似乎太低！』

魂魄失措地說：『我該如何是好？』

死亡判官告訴他：『你既生爲國君，再投胎也會是重要的人物，我們斷不可以讓你糊糊塗塗地去領導群雄，你必先學懂愛情，明白了情爲何物，才再有機會投胎。』

魂魄神色就明亮起來：『這樣子，我還有機會……』

死亡判官又說：『其實你要學懂的還有慈悲、珍惜、感恩、刻苦……等等良好品質，但我們決定先派你去學好愛情，因爲，愛情這回事，你原應在這一生已有足夠機會學懂。』

魂魄顯得尷尬。『對，怎麼說我也結了六次婚……』

死亡判官說：『每個人的一生都有特別爲他量身訂造的課程，既然在生時你學不會，就要趁再生之前用心去學，要不然，只會浪費了再生的日子。』

魂魄黯然。『我生平最痛恨遲鈍的人，想不到原來最遲鈍的是自己。』

死亡判官就告訴他：『你先自行反省，當我們找到能輔助你的機構時，就會通知你。』

魂魄唯唯諾諾，魂遊太虛飄遠。

這樣一飄就是數百年，亨利八世的魂魄近乎執迷地反省：『我不懂得付出，我不懂得愛情……』

『我不懂得珍惜，我不懂得愛情……』

『我不懂得爲愛心痛，我不懂得愛情……』

『我不懂得憐恤，我不懂得愛情……』

重複又重複地自責之後，亨利八世的魂魄就只記得這回事：他不懂得愛情，所以他要學懂。

他遊走在他所興建的城堡和皇宮之中，追蹤著相愛的人的蹤影，他目睹他們如何爲愛情痴迷，如何在愛情中受傷，又如何爲愛所犧牲。然後他發現，他一生中都沒爲愛情痛楚過，他爲愛情野蠻過霸道過殘忍過，但他完全沒有爲愛情而痛過。

所以，心不曾揪動過，心不曾酸過，心不曾燃燒過。愛過的會不會是安寶琳和珍西摩？她們都不容易到手。只是這樣的愛情也是脆弱不堪，有甚麼風吹草動，他又會無情地去摧毀它。

他目睹相愛的人的眼淚。是的，他甚至沒爲愛情痛哭過。他實在甚麼也不懂。

後來，死亡判官就對亨利八世的魂魄說：『我們爲你預留了一個投胎的機會，千載難逢。』

魂魄問：『是何家何戶？』

死亡判官告訴他：『是查理斯王儲和黛安娜王妃的長子，威廉王子。』

魂魄問：『他的命可好？』

死亡判官說：『可說是相當不錯。既英俊又受臣民愛戴，所享有的自由與尊重比其他皇室成員要多。他一出生，就注定了要當上一名備受萬民愛戴的國王。』

『啊……』魂魄驚歎：『太好了……』

死亡判官說：『所以你要接受愛情訓練，目標達成了才有資格投胎成爲威廉王子。』

魂魄呢喃：『要達成目標……』

死亡判官說：『皆因威廉王子是將享有愛情的王子，命運會把他的一生塑造得感性迷人，他有英俊的外表，有權力財富，同時候又充滿愛。因此，你的靈魂質素要有一定程度，要不然就擔當不起這種命運。』

魂魄明白了，它滲透出柔和的亮光。

死亡判官說：『我們會派你到 Mystery 受訓，當中的三胞胎會盡力讓你學懂愛情。』

於是，魂魄就懷著希望走到 Mystery ，向三胞胎尋求協助。

阿大對魂魄說：『我們會讓你以二十多歲的精壯身心去投入一段戀愛。』

阿二說：『我們會剔除你部分品性，譬如自私、兇殘、野蠻、不擇手段……皆因這些品性有礙愛情的建立。』

阿三說：『我們會爲你安排一個與你勢均力敵的戀愛對象，她不會懼怕你，她的眼界見識亦不會比一國之君少。』

魂魄顯得非常滿意，它散發出微亮的藍光。

心懷疑惑的反而是三胞胎。

阿大問阿三：『我們哪裡找來一個合襯的對象？』

阿三問阿二：『Mystery的顧客成千上萬，難道沒有合適的人選？』

阿二問阿大：『應該是有……但是……』

阿大懊惱極了：『我們剛剛把她許配給加尼美德斯！』

阿二倒是不以爲然。『把加尼美德斯攆走就可以嘛！』

阿三贊同：『對啊，我們幫他只是人情。』

阿大望向魂魄：『對！幫助亨利八世是重要的任務！』

三胞胎互望一眼，得到了共識。

阿大就這樣對魂魄說：『我們已決定安排你與我們的ＶＩＰ顧客，翡翠小姐相愛。』

魂魄顯得跳躍晶亮。

阿二說：『但附有一個先決條件：你必須令她愛上你，你的任務才算成功。』

阿三告訴他：『亦同時候附有另一條件：你會在第一眼看見她時，已深深愛上她。』

魂魄聽罷，心神便旖旎起來。『她眞有如此魔力？』

阿大點頭：『簡直聞風喪膽！』

魂魄飄飄然，禁不住心蕩神馳。

阿二告誡他：『記著，無論如何艱辛，你也要令她愛上你！』

阿三非常激動。『爲著下一生能夠投胎做威廉王子，你一定不可以放棄！』

魂魄滿有信心地答應：『我一定不會辜負大家！』

三胞胎互相交換了眼神，接著就齊齊眉開眼笑。阿大笑意盈盈地踏前一步，這樣說：『你準備好的話，我們現在就送你去——』

魂魄不住的點下頭來。

三胞胎便護送著他大步向前走，越過迷霧越過幻光，魂魄一路上也滿心歡暢，期待愛情的心比理智與聽覺都強。他根本分不出半點心來靜聽，夜空中正迴盪著三胞胎剛才那句話的最後一個字：『死——』

三胞胎沒向他明言，迎接新生前的一段戀愛，及得上再死千百萬次般痛苦和震撼。

* * *

不知道爲甚麼城堡內總飄散著腐爛的氣味，無論蒙娜麗莎遊走在城堡中的哪一處，那陰鬱與酸臭仍在。是因爲城堡內冤魂太多嗎？總是無法行走得自在。

她走在幽暗的窄道中，地面濕漉漉的。忽爾，從後傳來高尖的叫聲，回頭一望，原來是一頭鷹邊飛邊叫，鷹狠勁地飛過窄道，在她的頭頂颳起一陣風。

懷著不耐煩的心情走進大廳中，她看見，亨利八世正於長木檯上用餐。他吃的是燒野豬，由一班侏儒侍女服侍他。亨利八世一看見蒙娜麗莎就立刻恭敬起來，他挪下頸上的餐巾，正準備站起身向她行禮，倒是蒙娜麗莎身手俐落，她縱身一跳就坐到他的餐桌上，伸手把他的食物一併掃到地上，那打翻了的紅酒在褪色雲石地面上濺出花紋。

還是大清早，氣氛就變得陰森。

亨利八世行禮不成，卻被蒙娜麗莎賞了一記耳光。『啪——』亨利八世掩住臉卻不敢呼痛。

『白痴肥仔！』蒙娜麗莎斥喝他：『你要得到我的歡心你就要付出！』

『是……是……』亨利八世連忙點頭。

蒙娜麗莎心情不好，她拿起錫造的水杯使勁地敲在他的頭顱上，亨利八世痛得椅子也翻倒，額角爆裂流血。蒙娜麗莎對他說：『由今日起，你會重新與你的六名王后再度相處！』

亨利八世掩著披血的臉，維持他的恭敬：『明白……明白……殿下……』

蒙娜麗莎由餐桌躍回地面，揚動長袍的襬尾，高傲地步離亨利八世，沿路上侏儒侍女全向她下跪行禮，那頭破血流的亨利八世也沒例外，單膝下跪，深恐禮貌不周。

窗外有麻鷹飛過，蒙娜麗莎隨手拿起掛在牆上的獵槍，對準麻鷹發射。『呯！』麻鷹卻沒被射下來，吱吱喳喳叫著飛離城堡範圍。

蒙娜麗莎心有不甘，她持著獵槍轉身，飛快地找了個目標。『呯！』這次她對準一名侏儒侍女，那可憐女孩不像鳥兒有翅，避不過便應聲倒下。

無人夠膽驚呼，包括亨利八世在內，都只懂當場呆住。蒙娜麗莎冷笑，放下獵槍轉身離開，對她來說，用這種氣氛展開她與亨利八世的關係，真是最適合不過。

在關係開始的第一天，她就要他非常不好過。

我要你懼畏於我。

我要你屈膝於我。

我要你只能頷首，無能力拒絕。

我是極權的、漠視一切規條的。而我所說的話，就是真理。

她轉身，在遠距離站定下來，牢牢看著這班下跪的人。她所要說的並沒說出口，但她知道，他是明白的。

他是被委派來愛上她的男人，他該有閱讀她內心的能力。

靜默如同毒氣，這無聲的陰森令人心頭發麻。蒙娜麗莎的微笑詭異，但看來，她還是頗滿意的。

她揚動長袍的襬尾，轉身高傲地步離。

確定了她走遠之後，亨利八世連同其他侍女走近躺在血泊中的無辜傷者跟前，侍女搶救她們的同僚，亨利八世看了一眼就急急走開。他深呼吸，然後在心中說：『蒙娜麗莎真的很美，是名熠熠動人的美女……』

他邊走邊在心中重複這句話，綳緊的心情慢慢放鬆下來，縱然滿臉披血，他也覺得自己很幸福。

對了對了，他即將成爲世上最幸福的男人，只要他努力，蒙娜麗莎就會愛上他。

血流進了耳洞，他開始聽見奇異的回音，有哭聲有悲鳴。但他的嘴角泛起了微笑，甜蜜的，帶有夢想的。他確實知道他距離幸福不會遠。

* * *

一小時之後，亨利八世就在睡房中找到他的第一任王后，Catherine of Aragon，西班牙公主嘉芙蓮。嘉芙蓮看來只有二十多歲，她的棕紅色長髮披散到肩膀上，笑容甜蜜，非常美麗。她靜靜背窗站立，等待正內進房間的亨利八世。亨利八世走向嘉芙蓮，每走一步如踏雲中，而她迷人得像一團夢那樣。他已走到她面前了，在她柔美的笑容下他深感不由自主，嘉芙蓮從未如此迷人過，而自己，也從未如此渴望過她。

嘉芙蓮對亨利八世說了一些甜美的話，然後他就覺得心中開滿了鮮花，他興奮極了，很想以後好好的愛她，愛她到永永遠遠，愛得永不分離。在這種澎湃的心情下，他就激動無比地吻她。

由窗前吻到火爐旁，再相擁吻到床上。他覺得他愛死她了，愛得一生也不會捨棄她，愛得甚麼苦也會爲她承受。他脫掉她的衣裙，也脫掉自己的衣服，他開始與她做愛，激烈的、富節奏感的。

他的臉容繃緊，不住呻吟。偶爾抬眼一看，他便看到床前掛著先人的畫像，沒有甚麼不妥當，他又向更深處推進。

是在再抬眼之際，故事才開始。他居然看到，畫中肖像變成了蒙娜麗莎。

他的心一寒，下意識向被他壓著的女人望去，嘉芙蓮的臉，分明就是蒙娜麗莎的。

蒙娜麗莎正瞇起眼，散發一個肉慾的微笑。

亨利八世腦內轟然一響，高潮便來了。這高潮就如縱身飛墮萬呎深淵，速度之快，足以令心臟不能負荷。

他累極倒在床上，被他壓著的女人躺到床的一邊，他再看她一眼，她卻又變回嘉芙蓮。

他便放心起來。他握著她的手，說：『我們將會有一名兒子。』

嘉芙蓮側身躺著，帶笑說：『是的，我們將有一名兒子。』

亨利八世輕嘆一口氣，說不出的心寬。

但嘉芙蓮的說話未完啊，她說下去：『對啊，我們將有一名兒子，而那兒子將由你來生產！』

嘉芙蓮的瞳孔放射出兇光。亨利八世的心一怔，瞬間有點混淆不清。

『甚麼……』

嘉芙蓮抓起床邊的長袍披往身上，繼而站到地上，回頭向躺在床上的亨利八世說：『你不是一直想要兒子嗎？你不是爲了得到兒子甚麼也做得出嗎？』她指著亨利八世的肚皮說：『現在你已得償所願！』

亨利八世望向自己的肚皮，它就如氣球那樣由平坦變得鼓脹，他驚恐地伸手按著肚皮，發現內裡有小生命在踢動。

『哎呀——』肚皮內的傢伙正出盡力握捏亨利八世的內臟。他的腸抽痛，胃痛得像被刺穿，肝臟被猛烈踐踏，腎又被咬了一口。實在痛得人仰馬翻。

亨利八世甚麼話也說不出來，只懂得以放大的瞳孔瞪向嘉芙蓮。

嘉芙蓮回敬他一個猙獰的笑容，繼而淡然地說：『要出生了！』

亨利八世張大口，慌張得不知所措。嘉芙蓮伸出雙手拍掌，然後門外便走來數人，似是要爲亨利八世接生。當看清楚後，那走進來的四個人，全長有蒙娜麗莎的臉。

當中一個作修女打扮，手持念珠走到床邊，俯身在亨利八世的耳畔說：『你會是個快樂的產婦！』

亨利八世一聽，就發狂一樣大叫：『不……不……不……』一個作醫生打扮的，以及兩個作助產士打扮的，齊齊上前按著他，他們有的在竊笑，有的面露鄙夷嘲弄，但無論是甚麼表情，都同樣是蒙娜麗莎臉。

世間上，已再沒有更恐怖的事了。

『不……我不要兒子了！你們放過我！』亨利八世含淚哀求。

嘉芙蓮倚在床邊木柱前，裝出憐憫的表情，然後又笑出聲來。『嘻，嘻嘻……』

亨利八世望著她說：『請你念及我倆二十四年夫妻之情！』

嘉芙蓮誇張地瞪大眼睛，以嘲笑的口吻說：『我從來不曉得你是個念舊情的人！』

亨利八世額角滴汗，他終於明白發生這一切的意義。他在喉嚨嚥下口沫，慌惶地等候發落。

那些蒙娜麗莎臉孔人開始爲亨利八世的生產作出準備。助產士說：『男人怎樣生孩子？由肛門生嗎？』

醫生溜了溜眼珠，似乎也認同，於是他們就合力把亨利八世翻個身去，而一名助產士則拿起一支裝有機關的長鐵棒。

亨利八世驚呼：『不……不要……不！』

助產士按動長鐵棒的機關，裝嵌在長鐵棒上的五張利刀，就像雨傘那樣撐開。醫生以專業口吻對亨利八世說：『放進你的肛門後，便會是這樣子！』

亨利八世發狂地搖頭：『不！不！不！』

醫生這樣告訴他：『肛門要夠闊大才可以生產嘛！』

亨利八世嚎叫得更驚惶：『不——不——』

修女與一名助產士就出盡力按住他，而醫生接過剛收起機關的長鐵棒，二話不說就插進亨利八世的肛門中，亨利八世正要慘叫之時，醫生隨即俐落地按動機關。

『哇——』那叫聲如雷震天。

施虐的第一個項目，就是要他皮綻肉破，血肉模糊。

『哇——哇——』簡直痛得不可思議。

醫生曖昧一笑，繼而把鐵棒的方向一扭。『呀——』亨利八世立刻瘋狂慘叫。『呀——呀——呀——』

這種虐待，根本不是血肉之軀可以承受的。亨利八世的肛門內壁，被攪爛得如同肉醬。醫生與助產士探視亨利八世的肛門，在血流成河的畫面中交換意見。『應該不會由肛門出生吧！肛門又不是性器官！』『甚麼？肛門不是性器官嗎？』『那麼……』

助產士精靈地拿起一把大剪刀，那張蒙娜麗莎臉孔在說：『剪掉他的陽具！嬰兒就能出生！』

大家又同意了，於是亨利八世就重複慘叫：『呀——呀——呀——』

醫生接過助產士遞來的大剪刀，正有所準備。亨利八世將要高聲尖叫之際，修女卻在床邊跪下來，牢牢望進他的眼眸中。

他接收了她的目光，繼而，時光便凝結。

亨利八世沉溺在蒙娜麗莎的目光之內，那裡幽秘深邃，如一片靜止的湖。

他不再叫喊，甚至漠視身邊發生的一切，世上沒任何事比她的凝視更具力量。

有人手握他的陽具，準備剪下去；有人張大口要取笑他；有人正惡毒呢喃，詛咒他得到更痛苦的未來。

但他已不再理會了。得到了她的目光，他便能拋開世上一切。

這是一雙他所愛的女人的眼睛。望進去之後，他感受不到剪刀剪斷陽具的痛；感受不到傷害他的人的鄙夷；亦感受不到報復帶來的驚恐。

亨利八世由蒙娜麗莎的瞳孔中看見自己那張由痛苦惶恐轉變爲平靜安逸的臉。

他微笑了。天啊！一切都是那麼美。這個世界，美不勝收。

身體因失血而逐漸虛弱，劇痛亦令眼淚鼻水長流，但他已不再叫喊，他從他所愛的人的眼眸內得到詭異的意志力，令他承受得起再可怕的虐待。

我愛你。愛你愛你愛你。我愛你，我就不再痛。

在疑幻疑眞中，他呢喃：『爲了得到你的愛，我再痛再苦也願意……』

跪下來凝視他的修女沒說話，眼眸內依舊波光流動。醫生與助產士有了新的方案，他們高舉利刀，目標對準他的大肚皮。亨利八世笑容如夢，他的目光沒離開過蒙娜麗莎的眼睛，心甘情願動彈不得。

蒙娜麗莎忽爾微笑，笑得溫柔慈愛。亨利八世在她的笑容中感嘆，他合上雙眼，從眼角滴下淚水。當再張開眼睛時，跪在床邊以修女打扮的蒙娜麗莎站起身來，再以慢動作的姿態轉身，她走過醫生和助產士的身邊，繼而離開這房間。

目送她離去後，亨利八世便把視線溜向瘋狂的醫生與兩名助產士之上，他們正合力找尋他肚內的孩子。亨利八世感受到漫長又猛烈的痛楚，而眼前發生的一切，全部以慢動作展示，一種被麻醉般的懸幻，朦朧地覆蓋整個畫面。

嘉芙蓮倚在木柱前，笑得很邪惡；醫生與助產士的神情有種不合情理的興奮。亨利八世一一看在眼裡，心想到的是，無論發生甚麼都値得，只要最終他能得到她的心……

然後，他就被自己感動了，在極痛中他嚎哭。而最終，醫生與助產士把他肚內的孩子拉出來，先是頭，再是身，逐吋逐吋的拉出，而這孩子巨大無比，體積與亨利八世一模一樣。

在看到那雙毛茸茸的小腿時，他才驚覺，那根本就是他自己。血淋淋的、以死人姿態出生的自己。

亨利八世皺住眉搖頭，他看到自己被剖開的肚皮，看到當中的內臟，看到滿床鮮血，以及那張大口驚愕萬分新生了的自己。

兩個亨利八世互相對望。那新生的死胎眼神悲痛愕然，似已預料得到生命所帶來的悲慘。而躺在床上任人魚肉的另一個則茫茫然……

忽然，就覺得很累，極累極累。迷濛中，亨利八世昏竭了。

在眼前一黑後，他才覺得痛。

很痛很痛很痛，痛得不願意醒來……

很痛很痛很痛，痛得忘掉了人間的其餘感覺……

世上還會有別的感受嗎？除了無休止的痛……

『喂……喂……』有人試圖推醒他。

肩膀被觸碰後，似乎沒那麼痛。

『喂……』

亨利八世試圖睜開眼睛。

『國王，你今天剛出世呀！』是安寶琳的聲音。

亨利八世的眼球急速地左右溜動，在焦點集中起來後，他便看見安寶琳清雅脫俗的臉。

她正替亨利八世穿上一件用以睡覺的長袍。

他回復了知覺，這樣對她說：『剛睡醒便要我再去睡？』

安寶琳說：『對呀，這件長袍染了血漬也不會太浪費呀？』

刹那間，亨利八世有點茫然。

安寶琳就說：『國王沒忘記吧！今天是國王被斬首的日子！』

亨利八世的心一怔，臉色發青。

安寶琳嫣然一笑，那神色揶揄又嘲弄。

兩名大漢上前左右脅持亨利八世，孔武有力地把他拉出房門之外。門一推開便是個大看台，上面置有一具斷頭台，而看台下，是成千上萬的觀眾。

嘉芙蓮的虐待剛完畢，立刻就進行安寶琳的報復。

亨利八世慌張地回頭大叫：『安寶琳！請你手下留情！』

安寶琳優雅地走出看台，微笑著說：『那一年，誰又對我手下留情？』

說罷，兩名大漢已把亨利八世的頭按在斷頭台上，機關把他的頸項緊緊扣著，他彈動不得。

台下群眾亢奮地歡呼。亨利八世斜眼朝頭上的鍘刀望去，然後就喃喃自語：『還好，鍘刀一落就一了百了。』

誰料，耳畔傳來安寶琳俯身說出的一句：『你休想！』

她的話就如寒冰入心。亨利八世忽覺牙關打震。

劊子手執起機關上的鐵鏈，台下群眾看見立刻全場靜默。亨利八世知道是時候了，他合上眼，靜待死神降臨。

劊子手放鬆鐵鏈，發出鏈子互碰的摩擦聲，而鍘刀正準備飛墮而下。

亨利八世咬緊牙關，惶恐令他的尿道發脹，他尿濕了長袍。就在接下來的一秒，鍘刀鬆脫了鐵釦，正要向下飛墮，而亨利八世的眼珠向上一溜，剛好看見陽光映射在鍘刀的一點光。

那點光隨鍘刀以極速墮下，亨利八世趕緊合上眼皮，那刀鋒入肉的冰冷與刺痛，他都感受到了。隱約的，甚至聽見台下群眾無情而瘋狂的歡呼聲。

奇妙的是，刀鋒斬破皮肉和頸骨的感受他一清二楚，那種戲劇性的撕裂痛得絲絲入扣；就連頭顱與頸項分離的驚世極痛他亦毫無遺漏；最後，他甚至清晰地感覺到頭顱在看台上滾動的眩暈旋轉。

頭也被斬下了，不是應該一了百了嗎？

但亨利八世發現，他居然能眨動眼皮，甚至連眼珠也能溜動。

他看見，台下群眾呼叫得如痴如醉，台上安寶琳更加笑得花枝亂墜。而那劊子手，拾起他的頭顱，重新擺在斷頭台上，當頭項的肉和骨互相接觸後，立刻就骨肉相連，那接口自動縫合，一切完好無缺。

亨利八世甚至能夠說話：『爲──甚──麼──』

安寶琳在台上笑得嗆住氣，她邊狂笑邊說：『死一次不夠！起碼死十萬次！』

冰寒直透心間，這眞是最惡毒的懲罰。亨利八世表情愴痛欲哭無淚，無奈地等候再一次死亡之際，忽爾被他看見，台下人群中有一張熟悉的臉。蒙娜麗莎混在人潮中。

她向他揮手，歡欣地掩住嘴笑。

驀地，他就記起了一件重要的事：爲了她，死十萬次也值得。

於是，亨利八世俏皮地向她眨眨眼。

蒙娜麗莎高興得像個觀看舞台表演的小影迷，她瞪大眼，張大口興奮地笑。

就在蒙娜麗莎的笑容之中，鍘刀再一次飛墮，亨利八世重新經歷了身首異處的極痛，尿道失禁，皮破肉綻骨頭碎。頭顱翻滾地上，死不瞑目。當劊子手走上前拾起他的頭顱放回斷頭台上之後，亨利八世又一次不情不願的死過翻生。

而台下人潮內，共有兩個蒙娜麗莎。

亨利八世也就明白了，他會不停地死而復生，斷頭台的鍘刀會一次又一次落下，直至台下的所有臉孔都變成蒙娜麗莎。

他咬緊牙關，準備第三次死亡。臨死前他望向人潮內那兩張臉，嘗試從面對死亡的緊張中釋放出笑容。

他在心中說：『你放心吧，別替我擔心，爲了你，死多少次我也甘心。』

台下兩名蒙娜麗莎卻忽然收起歡欣的表情，她們變得冷漠呆然。亨利八世立刻就揪心起來，難道自己的死亡已經滿足不了她嗎？

『霍！』

鍘刀俐落地令他人頭落地。

而這一次，滾到台上邊緣的頭顱看到，人群中那兩名蒙娜麗莎轉身離開。亨利八世著急了，心念湧至後，他無頭的身軀自斷頭台上爬起，一直走到台邊，拾起自己的頭顱後，在無人阻擾的情況下，步下台階，越過人群，跟在一雙蒙娜麗莎的身後。

他發現自己的心情很輕鬆，不擔心會被人阻止；甚至，身與心都遠離了剛才在斷頭台上的壓力。

走啊走，那一雙蒙娜麗莎混到另一堆人群中。手抱自己頭顱的亨利八世正要跟隨內進，卻被趨前的三名大漢阻止，其中一人搶過他的頭顱，重新安放在他的頸項上，而另外二人則合力左右脅持著他，帶領他穿越人群，走到一片空地之上。亨利八世看到，地上挖空了一個巨型的洞，大約有二百呎長和闊，三百呎深。

他覺得稀奇，從來未見過如此壯闊的深淵。

放眼一望，看到洞邊的一隅站著衣著高貴的安寶琳，她正與數名貴族紳士說笑聊天，亨利八世留意得到她在笑容之上的眼神，當中有著不友善的凌厲。然後，他忽然就清醒了，她怎會讓他習慣斷頭台的痛苦？這個女人，爲他的死亡花了心思。

安寶琳隔著大約五十呎的距離定定地看牢他，她的眼神複雜，怨意、恨意、哀愁、寒意一一混雜。亨利八世望著這個被他藉詞處死的女人，想說句對不起但又不知怎表達，畢竟，他早已忘掉了當初愛上她的感覺；也畢竟，他根本就是個無情無義的冷血男人。

他從來不必說對不起。國家是他的，人民也是他的，要誰生要誰死，誰會比他更有權力？對不起該怎麼說？他根本就不懂得說。

他輕輕一笑。唯有以自己的痛苦來致歉。她要他償還的，也不外是痛苦。

然後，安寶琳把手中扇子一揚，亨利八世身後的三名大漢就出力推他到那巨大的洞中，亨利八世肥胖的身軀滾動了三百呎，最後滿身滿面泥濘，皮破肉損地躺在洞穴的底部。

他搖了搖頭，意圖清醒起來。他抬起頭來向洞穴的邊緣望去，看到有些東西正掉下來。他再把頭猛地一搖，嘗試看清楚那些掉下來的物體。當它們連番滾動下來後，他才知道，原來全是屍體。

腐爛的、不完整的、發脹的、怨氣沉重的、形態可怖的、人不似人的……統統數以百計地一批又一批掉下來。亨利八世在洞穴的底部左閃右避，躲開這陣猛烈的屍體雨。

不久，洞穴的底部就被填滿了，他腳下盡是屍骸，屍體以更密集的速度飛擲下來，一千個接著一千個，亨利八世根本避無可避，他甚至已被屍體壓住了。

他推開壓在他身上的無頭屍，向上叫喊：『請停下來！』

安寶琳與她的友伴站到洞穴的邊緣向下俯望，對亨利八世說：『你盡情享受與他們相處的時光吧！這些都是你曾經下令處死的人！』

亨利八世被一具紫色的、滿身刀傷的女屍壓個正著，正想出力推開，卻有更多的屍體飛墮而下。剛從一具屍體下爬出來，另一具屍體又從天跌下，不消數分鐘，他已藏身屍海中。

他曾下令處死五萬人，於是，將會有五萬具與他有緣的屍體陪葬。亨利八世在屍海中掙扎，那些腐肉、斷肢、白骨、屍水統統令他透不過氣，他已被這些失掉生命的爛皮腐肉殷沒了。

他盡力叫喊：『這是無意義的！你們究竟想壓死我還是臭死我？』

無人回應他。他糾纏在極臭極髒的空間內，煩厭又無助。

然後，屍體開始變異。五萬具屍體一同在洞穴內腐化溶解，蛆蟲生猛跳躍地在屍身內外鑽動；蛆蟲白白胖胖的，興高采烈地享用牠們的美食。如果一具屍體內有一萬條蛆蟲，五萬具屍體合起來便有五億條。亨利八世身處的上下位置已變成一堆堆蠕動的白色。從地面向下望進洞穴中，也只能看到一片白色的、蠕動的蛆蟲海。

屍體開始哀鳴。早已皮破肉爛、眼耳口鼻模糊一片的屍體張開口痛哀，蛆蟲咬噬得很殘酷，屍體死掉也會叫。一張口，千千萬萬條蛆蟲又乘機爬入屍體的體內，血淋淋又發脹的屍體在極痛中顫抖，不一會便皮肉離骨，成千上萬的蛆蟲綻破了內臟，洶湧地把屍身蠶食分解。

亨利八世意圖張口叫喊。當口一張，蛆蟲就發現了新目標。新鮮的嫩肉不是更好吃嗎？蛆蟲排山倒海地由亨利八世的口腔、耳朵、鼻子、肛門，甚至眼眶鑽入，浩浩蕩蕩地去發掘一個新鮮的寶藏。

萬蟲蝕心蝕肉的感受該如何形容？這根本就是一次最細密恐怖的凌遲，牠們裡裡外外合力吃掉他的皮肉，全身內外沒有一毫厘的肌膚不被咬去，蛆蟲隨他的血脈流動，每一根脈絡都被蛆蟲填得滿滿。蛆蟲已密集進駐這副血肉之軀。

已經動彈不得。蛆蟲在他的血肉內鑽動，蠶食他又取代了他。亨利八世已經成爲一個蛆蟲人。

很快，他又感受到身邊上下左右的屍體開始溶化下沉，蛆蟲不一會就統統吃掉所有皮和肉，留下一副一副的白骨。亨利八世就在白骨堆和蛆蟲堆中掙扎，他訝異地發現，他仍有求生的能力。

踐踏著被他加害、處死的無辜者的白骨，亨利八世一身掛滿蠕動的蛆蟲，使勁地往上爬。他看不見自身的恐怖，他的大部分皮肉已被吃掉，餘下的破皮爛肉零星半吊。就在差不多爬到洞口邊緣之時，他伸手撥開臉上的蛆蟲，站在洞穴邊緣的人便看見，在那張完全沒有皮膚的臉上，左邊部分甚至連血肉也被吃掉，光禿禿的見到骨頭；而右邊的眼窩空空如也，眼珠已被飢餓的蛆蟲吞掉，一堆又一堆蛆蟲在那空洞的眼窩中鑽出鑽入。

他爬出了蛆蟲的洞，卻站不起來。爬在地上的亨利八世已變成半人半骷髏骨，未被吃掉的皮肉鬆散地掛在骨頭上；而當每爬一步，都被數十萬條蛆蟲糾纏著。他抬起人不似人的一張臉，朝人潮中望去，那數百名站在洞穴邊緣的人，已經全部變作蒙娜麗莎，無論男女老幼，都掛上蒙娜麗莎的臉。

他就安心了。正要張開口說點甚麼，成千上萬的蛆蟲就由他的口腔內湧出來，他要俯身嘔吐好幾回，才能空出舌頭來說話。

他要說的是：『你滿意的話，便一切都值得。』

那群蒙娜麗莎木無表情，靜默地瞪著他看。

他只得一個方向，就是朝她們爬過去，而他每爬行一步，就丟掉一些甚麼。起初是大腿上的爛肉，然後是肚皮內的半邊肝，當再爬多兩步，左腳的小腿一整條散潰掉下。爲著她，他整個人裡裡外外都粉碎了。

數百名蒙娜麗莎齊齊向他移近，最後就組成一個圓圈包圍他。亨利八世抬起皮肉半吊的臉，吃力地在餘下一半的肌肉上，擠出一個卑下的微笑。

他等待預期的讚賞。爲了她被億萬蛆蟲入肉穿心，無功也有勞吧！

但蒙娜麗莎的表情冷酷木然，當中沒有一張臉是有笑意的。亨利八世的微笑僵硬起來，不祥感頓生。

果然，後排一名蒙娜麗莎首先俯身，接下來，其餘的蒙娜麗莎跟著做。亨利八世瞪著只餘一顆的眼珠，看到包圍著他的蒙娜麗莎紛紛從地上拾起石頭，然後冰冷無情地向準他擲過來。

『呀——』他被連番擊中，痛極倒地。

『呀——』連餘下的一顆眼珠都被石頭撞爆了。

『呀——』大石頭撞斷了他的肋骨。

『呀——』石頭迎面飛擲，把他的半邊臉削掉。

悲痛地、不解地、沮喪地，他對她們說：『難道你還要我更苦？』

當中一名蒙娜麗莎以明亮的眼睛望住他，這樣說：『沒甚麼的，只爲了痛快。』

『啪——』石頭敲破了他的腦袋，數千條蛆蟲隨同腦漿爆漲而出。他已經甚麼也沒有了，內臟被吃掉，手腳折斷碎落，臉容蝕食盡毀，就連腦袋，也在一秒間變成無用途的糊狀物體，骯髒污穢地飛濺四周。

蒙娜麗莎就這樣粉碎了他。已經爛肉四散的亨利八世卻仍然遺留了一些感官，風撲向沙地，捲起了他碎落的血肉，迴盪出他不息的思緒：『既然你感覺痛快了，我瓦解成塵粒又何妨……』

數百名蒙娜麗莎一同張大口，風沙中旋動著一股觸動。這個男人，切切確確願爲她粉身碎骨……

瞬間，全部蒙娜麗莎奇幻地合而爲一，與此同時，強大的撞擊力叫她在呼叫聲中倒下。當她意識清醒後，在張開眼來之際，發現自己正身處一張華麗的睡床上，床褥闊大厚重，床架四柱擎天，床的頂篷如同穹蒼，安寧祥和，卻又遙不可及。

蒙娜麗莎下意識地伸出右手，按在左邊心房上。她合上眼，靜待數秒。然而，還是沒有心跳。

那因愛情而產生的心跳沒有降臨。

眉頭輕輕一皺，她就張開眼來。

隨身畔望去，床邊正躺著肥大肉厚的亨利八世。

他也醒來了：『啊……』

蒙娜麗莎翻了翻身，伏臥在他身邊，嬌俏地托著下巴凝視他。

『喂，喂喂！白痴肥仔！』

亨利八世睜開眼睛。『殿下……』

蒙娜麗莎說：『你剛才的表現滿不錯！雖然我仍然無心跳，但依這方向進行，前景該頗爲樂觀。』

亨利八世出盡力撐起身體，但因爲累極了，不消半秒又倒回床上。『啊……』

蒙娜麗莎愛憐地輕撫他的臉龐，這樣對他說：『死了那麼多次當然就累了。來，來，我獎賞你相擁睡一覺！』

還以爲亨利八世會開心傻笑，誰知他瞪大眼，驚恐地呼叫：『不！不可以！』

蒙娜麗莎沒料到他如此反應，霍地坐起來，雙手扣在他的脖子上，兇惡地說：『沒想到你這麼不識抬舉！居然拒絕與我一起睡！』說罷，雙手愈扣愈緊。

亨利八世奮力挪開蒙娜麗莎的手，他的臉孔已隱約變成紫色。他喘氣又咳嗽，勉強坐起來，告訴她：『我從來不能夠與女人一起睡，我與我的六名王后從來未曾相擁同床！』

蒙娜麗莎問：『你怕甚麼？』

亨利八世說：『我會作噩夢，很可怕很可怕的噩夢！』

亨利八世的神色恐慌，看來，他不是在編造藉口。

蒙娜麗莎掛上一個體諒的微笑，對他說：『我是明白的。』

亨利八世吁了一口氣，感激她的體貼。

然後，蒙娜麗莎就上前摟住他，如是說：『就因為我明白，所以——』

亨利八世的心一怔，乾瞪著眼睛。

『我才要與你一起睡！』蒙娜麗莎目光猙獰。

『不……不……』亨利八世全身顫抖。『你放過我！那些真是極可怕的噩夢！』

蒙娜麗莎以指頭封住他的嘴，與他雙雙躺下來，她用雙手把他的臉龐移向她，與他四目交投，這樣說：『你是知道的，你還未得到我的愛，我的心仍未懂得跳。』

她把亨利八世的手按在她的心房上。的確，她的心沒跳，砰砰的是亨利八世的心跳。

她軟綿綿，渾身散發著淡淡的顏料香氣，她輕易地賦予他屈服的理由。

而且她說：『你該順從我，整個宇宙都要有阿諛我的念頭。』

亨利八世合上眼睛，從眼角滲出淚水。

蒙娜麗莎在他的耳畔輕輕說：『你愛我愛得那麼膚淺，你叫我倆的心願如何實踐？』

亨利八世忽爾悲從中來，他躺在她的身邊飲泣。

蒙娜麗莎也嘆了口氣。『要夢想成眞，總得有點代價。』

她的說話就像催眠，他已無從反抗，只懂得在眼淚鼻水中唯唯諾諾。

『來吧，爲我再受一點苦……』

蒙娜麗莎輕柔地以掌心掃向亨利八世的眼瞼，當下，一股謎樣的旖旎流動他的全身，剎那間渾身無力，數百磅的肥大身軀輕飄飄的，猶如一團霧。

『睡吧。』這是她最後的吩咐。他就如她所願墮入夢鄉。

＊　＊　＊

夢中，亨利八世走在庭院的深處，小路旁的植物叢良久未被修葺，枯乾凋零。他以輕盈的步履走啊走，帶著一種小孩子才有的心情。他走到一座噴水池前，這座噴水池日久失修，大理石上長滿了青苔，天使雕像的臉孔崩缺了一大片，而天使騎著的那隻不是獨角獸，而是長有三隻眼的怪物；怪物張大口，略方的嘴巴內密密麻麻長滿了牙齒。

亨利八世望著怪物滿口的牙齒，心情變得空洞。

會有些甚麼發生……要做甚麼呢……

他只知道，這是串連一起的事，一樁接一樁。

微弱的水流從已毀容的天使手中的水瓶流出。亨利八世記起了他要做的事，他從掛在腰間的錢袋內掏出一枚銀幣，繼而抛到水池中許願。

他很有信心願望會成眞，然後哀傷就籠罩了他。

是一種命中注定的哀愁。

噴水池後有一條小路，看來同樣的蒼涼。小路上走來一個侏儒侍女，她三呎高，頭很大、臉很闊，容貌蒼老猶如一名五十歲的婦女，眼珠凸出，鼻子塌陷，嘴巴很橫很闊。

她走近亨利八世，並且伸出手來。亨利八世以戀愛的心情握住了她的手，接著二人坐在水池邊緣談心。

亨利八世以憧憬的眼睛望向前方，遠處就是他的城堡。而侏儒侍女這樣說：『你會考試不合格。』

亨利八世聽罷，便開始沮喪。

侏儒侍女又說：『你會無自由、不被愛、被遺棄、慘遭背叛。』

亨利八世便垂頭飲泣。

然後，侏儒侍女側起頭來詢問他：『你喜歡用長叉燒烤雞隻嗎？』

亨利八世含淚抬頭，他發覺問題非常値得思考。

他意圖回答，但說不出話來。

侏儒侍女站到地上來，亨利八世也隨她站著，兩人手牽手往叢林的小徑走，亨利八世仍一心想著回答她的問題，而他又發現，他握得她的手很緊，也非常的倚賴她，就如孩子依賴母親一樣。

他覺得快樂，他笑著的臉孔脹鼓鼓的。

侏儒侍女帶著他一直向前行，最後就在一個以植物牆砌成的巨型迷宮前停下。她對他說：『走不出去就要死！』

亨利八世的心一慌，接下來的一秒，卻已置身迷宮中。

這就是必然要發生的事。

左邊是植物牆，右邊亦一樣，他左轉右轉，心裡好徬徨。忽爾，一陣鼓聲和鈴聲飄至，高大的亨利八世跳起身仰頭看去，看見數堵植物牆外走動著一個頭戴尖頂帽的人，其餘的部位都看不見，但他知道，那是他的宮廷小丑。

小丑邊敲鼓邊搖鈴，同樣走在迷宮中。

下意識地，亨利八世知道要避開他，他甚至湧出了此念頭：『避不開就會死……』

於是，他發狂似的左轉右拐，走不到半段路又遇上死路，小丑的樂聲時遠時近，他倆就在迷宮內追追逐逐。

轉了數個方位，剛巧遠遠瞥見小丑的容貌。啊，天呀！他有頭有手有腳，但沒有臉孔……

亨利八世急得哭了，他知道倘若被小丑捉個正著的話，就必死無疑。而不知怎地，此刻的他特別怕死，甚麼事也可以發生，就是不能死。

他一邊哭一邊跑，橫衝直撞找尋出路。最後，他跑進一條直路上，而他知道，在直路之盡左轉，就是迷宮的出口。

他如得救贖地大步跑，可是，跑來跑去也仍在原地，他的步履虛浮而緩慢，完全不聽他的指揮。

小丑的樂聲逼得很近，愈來愈近。亨利八世回頭一望，天呀，他們之間只有十步的距離。

他焦急極了，惶恐極了，力不從心。明明只有數步距離便能衝到出口，但卻舉步難行。他一邊流著眼淚一邊回頭。小丑已把手伸前，準備抓向他的肩膀……

＊　＊　＊

『呀……呀……呀……』睡床上的亨利八世全身震抖，汗水與淚水同在臉上翻滾。

蒙娜麗莎目睹了他全個夢境，她就是不明白他爲何驚惶至此。比起她安排的虐待，只是小巫見大巫。

她搖醒他：『喂喂……白痴肥仔……』

亨利八世逐漸回復意識，他睜開眼睛，如獲救贖地撲向蒙娜麗莎，高聲慘叫：『哇——哇——哇——』

蒙娜麗莎推開他，厭惡地說：『別像個膽小鬼！這種小兒科的被追殺夢境，每個人都試過！』

『不……不……』亨利八世瞪著驚惶的眼睛叫喊：『這個夢遲早會成眞！它是一集一集的追趕而來！每一次也意圖置我於死地！』

蒙娜麗莎一臉鄙夷地走下來，亨利八世仍在抱頭痛哭。

蒙娜麗莎觀看了他一陣子，就這樣說：『好吧，既然你這樣害怕……』

亨利八世抬起哭泣的悲慘臉孔。

蒙娜麗莎接下去：『以後我們就常抱住睡吧！』

亨利八世張大口，不能相信這種殘忍。

蒙娜麗莎聳聳肩，語調平淡地說：『你要我愛上你嘛，你就要受最大的苦！我不明白你的夢有甚麼值得大呼小叫的情節，但既然你那麼害怕它，它就變得甚有價值。』

蒙娜麗莎瞪著他來看，有種不準備接受違抗的莊嚴。

亨利八世以淚眼與這個女人對望，朦朧中，她顯得分外美麗，那種深不可測的目光使觀看者自覺卑微，她活脫脫就是愛神的化身，終其一生，也該盡得崇拜。

她完全無對他作出過任何愛的展示，他卻把她的一顰一笑演繹得充滿愛意。再沒有任何悲劇更具悲劇性。

亨利八世的心揪動著這種愛，使他多麼的痛苦。他嘆了一口氣，輕輕點下頭。

蒙娜麗莎的微笑忽爾豐盛，看得亨利八世滿心驚歎。是的，世上有種吸引力，聞說可以致命。

蒙娜麗莎讚賞他：『很好。你知道的，我所做的一切，都是爲了我倆願望成眞。』

亨利八世虛弱地笑起來，這樣說：『我只想你知道，我很愛很愛你。』

他的眼神總是那樣脆弱，堂堂大男人，一國之君，但面對著她時，他總是脆弱得危在旦夕。

蒙娜麗莎靜心欣賞他在愛情中的神貌，如此靜靜地看了片刻，繼而，心房內激起了一剎那的觸動。

她連忙把手按於心房上，卻又感覺不到心跳。

明顯地，她的表情是失望的。他看到了，只好比她更失望。

她明白他的心意，於是說：『算了吧，來日方長。』

『感謝你給我機會。』亨利八世恭敬地說。

蒙娜麗莎揚了揚手，示意不必多言。然後，她就悠悠的步出房間。

他等待她愛上他；她也正等待自己愛上這個男人。兩段命運必定要有剎那的交會點，這兩個人才會心息。

盲目的、倔強的、執迷的，不止是亨利八世，蒙娜麗莎的神色，正掠過一絲惘然。她愈行愈遠。前面有路，又好像不。

亨利八世實在疲累不堪，他躺在大床上，累得四肢動彈不得，眼皮也沉重，一合上眼便無力再張開來。

要睡了要睡了，甚麼也不去想不去理會，他開始昏昏沉沉，飄飄浮浮如墮雲中……

就在這將睡未睡之際，他感到有人爬上了床，而那氣息非常的熟悉。

『國王……』身旁的聲音說。

亨利八世的眼皮顫動，有點控制不了。

『國王……』一隻溫柔的手輕撫他的臉容。

他重新張開眼來，他的第三任王后珍西摩就在眼前。

她依然是當初他所認識的模樣：雅致的、柔弱的、純善的、帶著一種畏怯，令男人渴望保護的氣質。

亨利八世微笑，而由心坎湧到唇邊的話是：『答應我，別再虐待我，我的身與心已承受不起……』

他的記憶告訴他，這是一名值得信任的女人。

珍西摩的臉容掠過一種叫人崇敬的聖潔，她對亨利八世說：『國王，請放心。』

亨利八世輕輕呼出一口氣，他安樂地合上眼睛。他感覺到珍西摩走下床，然後走到房門前，在門開啓後，一名男士步進。亨利八世張開眼睛，他看見Thomas Cromwell托馬士金威，亨利八世的重臣。

亨利八世心中欣喜，想不到他會來探望自己。正想與他打招呼之時，他卻看見托馬士金威不獨沒理睬他，這個高瘦的傢伙反而與珍西摩相視而笑。

亨利八世驚愕得不得了，珍西摩與托馬士金威那種眼神交流，分明就是屬於一雙戀人。

他倆甚至手牽手走近床邊。

亨利八世抗議：『你們……』

他的王后與他的重臣已開始擁吻。

『珍西摩！托馬士！』亨利八世憤怒莫名。

珍西摩已摟著托馬士金威躺到床上，他們對躺著動彈不得的亨利八世視若無睹。

一雙戀人正互相脫下對方的衣裳，亨利八世震驚得瞠目結舌，對面前發生的一切不可置信。

『珍西摩！停止！停止！』

珍西摩躺在托馬士金威的懷抱中，享受著男人濕潤的深吻和熱情的愛撫。

亨利八世激動得落淚。『珍西摩，你何苦這樣對待我……』

珍西摩的眼睛嫵媚地半開半合，徐徐溜向亨利八世的臉孔上。她說：『國王，你的兒子是別人的私生子！』

眼淚汩汩而下。亨利八世有那說不出的淒苦。『不……不……』

而托馬士金威從熱吻中分出心來，朝向亨利八世說：『試過被最信任的人背叛嗎？』

亨利八世無助地搖頭：『托馬士，我一向待你很好……』

托馬士裝出一個怔住的神情，隨即，他又滿臉漲紅，怒目斥喝：『對我好？你忘記了嗎？你在一五四〇年，編造藉口把我送上斷頭台！原因不外是你討厭德國公主安妮！你埋怨我促成那段婚姻，因而判我叛國罪！』

亨利八世張大口，他也差點忘記了此回事。

珍西摩與托馬士金威齊齊朝他冷笑。

亨利八世合上眼睛，眼淚就由眼角滲出來，他實在萬念俱灰。

珍西摩和托馬士繼續纏綿，亨利八世悲傷得如失去至親的小孩。他從未如此失望過、無助過。

究竟，他犯過多少大錯，致令別人對他的恨意生生世世無法釋懷？

他又要受幾多可怕的懲罰，才能洗清他的罪孽？

亨利八世哭得臉容變異，躺在背叛者的身旁，哭得無盡淒苦。

這一男一女故意傷盡他的心，也非常成功。亨利八世感覺到，他的心已龜裂粉碎。

不久，房間的門又被推開，這次走來了蒙娜麗莎。亨利八世看見她，就如看見救星一樣。

蒙娜麗莎走近床邊，輕輕慰問：『你感覺如何？』

亨利八世嗚咽著說：『我很痛苦……』

蒙娜麗莎體諒地笑了笑，並把他從床上扶起來。

亨利八世哀求她：『請你把我帶走。』

蒙娜麗莎問他：『看著自己的女人與最信任的人通姦很難受吧！』

亨利八世悲痛嚎哭，說不出話來。

蒙娜麗莎扶他下床，抱著他的腰一步一步離開。亨利八世回頭向床上望去，奸夫淫婦仍在肆無忌憚，慾火焚身。

蒙娜麗莎扶著他走到走廊上，與他緩緩前行。蒙娜麗莎問：『你還可以嗎？』

亨利八世流滿一臉眼淚鼻涕。『很辛苦……』

蒙娜麗莎停止下來，定定地望向他。

亨利八世伸手抹走眼淚，他看見，她的眼內有哀愁。

知道她不快樂，他立刻就於心不忍。頃刻，他忘卻了自己的痛苦。

『殿下……』他試圖說點好聽的話。

蒙娜麗莎捉著他的手，輕輕把手按在她的心房上，如是說：『但我依然未有心跳呢！』

說罷，走廊上的一切變異，兩旁的掛畫如被火燒熔化；磚頭砌出來的牆壁像細沙粉碎；就連踏著的木地板也龜裂瓦解。

亨利八世驚恐地望向蒙娜麗莎，他的的確確感受不到她的心跳。

她的心胸軟綿綿，但又空空洞。

一股寒意入侵，亨利八世頭皮發麻。

一股陰邪匯聚在蒙娜麗莎的眼眸裡，她的臉色泛出一種幽冥的光。

她對他說：『難道你以爲這就完了？』

亨利八世發現自己的牙關正打顫。

蒙娜麗莎勾起一邊嘴角。『你受的這些苦根本打動不了我！』

亨利八世聽罷，在震慄之外又添上悲傷。他深感自己的無用，當他以爲已經辛苦得過分時，她的心卻沒跳動半分。

蒙娜麗莎摔開他的手，憤怒地掉頭便走。

亨利八世對著她遠走的背影說：『是我錯，你原諒我吧！』

『是我不好，沒準備爲你受更多的苦……』

他追前去，伸出手來。『蒙娜麗莎，你別捨棄我……』

他的手按在她的肩膀上，於是，她就得停步，回頭一望。

亨利八世愕然，面前的女人，已變作德國公主安妮。

就是那個醜八怪安妮，肥大笨拙，眼睛小，但眼皮沉重下垂，鼻子巨大，氣質粗鄙無知。

世界上已沒有更倒胃口的女人，就算相隔五百年，她也一樣叫他厭惡難受。

『嘖嘖嘖……』亨利八世擠出了倒胃的表情。

安妮委屈地說：『國王，你總是一見我就嫌棄。』

亨利八世便激動起來：『如果你是我！你會有別的反應嗎？』他在她的臉上指指點點：『出奇醜的眼！出奇醜的鼻子！出奇醜的皮膚！出奇醜的身形……』

安妮的表情隨著亨利八世的說話由白變紅，慘被踐踏的女人強忍著淚，尷尬又痛苦地垂下頭。

亨利八世批評得起勁：『你舉止粗魯低俗、爲人無品味無見識……說甚麼德國公主？養豬養雞的也比你矜貴……』

安妮咬著牙關，心中湧出一股惱意，漲紅的臉漸漸變成紫色……

亨利八世仍不罷休：『你這種模樣的女人簡直侮辱了我！你居然夠膽妄想做英國王后？爲了娶你，我要承受多少的恥笑？王后的樣子會被刻在錢幣上，要是你的樣子流通市面，我敢保證，我國的貨幣立刻貶値……』

安妮的怒火由心間直燒上腦，那張垂下的臉陰霾密佈。

『全國選舉醜女的話，你不入前三名我就跪拜你……』

安妮緩緩抬起臉，那紫黑的臉色難看得如死人模樣。亨利八世嚇了一跳。

安妮目露兇光，表情猙獰。

亨利八世仍然不知死活：『你怪不得我……純粹個人感受……』

安妮說：『你的舌頭太不會說話……』

亨利八世心中慌了慌，卻仍不停止侮辱她：『你要怪就怪你的母親……』

安妮忍無可忍，她伸直手臂指向他，高聲說：『你給我坐下來！』

驀地一張高椅背木椅由走廊的盡頭以極速直線移向亨利八世的背部，還未來得及準備，亨利八世被椅子一碰，隨即就跌坐在這張巨型的木椅之中。

扶手和椅背的機關自動開啓，厚重的鐵釦鎖住了肥大的亨利八世。還未坐穩，就已經動彈不得。

安妮趨前，她的右手藏在背後。

亨利八世心知不妙，張口結舌起來：『有甚麼事可以慢慢說……』

安妮回報他一個邪異的笑容。亨利八世心中發麻。

安妮已走到亨利八世跟前了，她從背後伸出一把利剪。她說：『這條舌頭早該被剪掉……』

亨利八世瞪著惶恐的雙目，驚呼狂叫：『不！不……』

安妮已一手扣著他的下巴，用力迫使他張大口。

『啊……啊……』亨利八世掙扎叫喊。

安妮把剪刀插進他的口腔，意圖剪掉他的舌頭，但亨利八世不斷掙扎，以致安妮的剪刀碰不到舌頭，卻割傷了他的口腔。

鮮血由他的嘴邊溢出來。安妮達不到目的，表情顯得不耐煩。她索性摑掌他。『賤人！別動！』

亨利八世可憐又悲痛地哀求：『求求你……』

安妮再次扣著他的下巴，這樣對他說：『你必須補償對別人做出過的傷害。』

安妮把剪刀強硬地塞進亨利八世的口腔中。正手忙腳亂之際，走廊上的一道門被打開，走出來的是年輕貌美俏皮的姬芙琳，亨利八世的第五任王后，她的手捧著一個玻璃瓶，當中醃著些甚麼，她邊走邊吃，津津有味。

看眞一點，玻璃瓶中浸醃著的不是泡菜或酸瓜，而是一個又一個曾被拆骨去髮風乾縮小的人頭。

姬芙琳咬著酸甜香脆的迷你人頭，傻氣地問：『你們在幹甚麼？』

安妮瞄了她一眼，便說：『我正準備剪掉他的舌頭！』

亨利八世向姬芙琳拋來一個求救的眼神。

姬芙琳的反應卻是：『好啊！我也來！』她放下玻璃瓶，興致勃勃地走前去幫忙，並且向安妮提議：『不如先剪開他的嘴巴，事情會好辦得多！』

安妮眼神一亮，如夢初醒。姬芙琳幫忙穩定亨利八世的頭顱。

亨利八世死路難逃，卻不放棄把握拯救自己的機會。他斜眼溜向安妮，這樣對她說：『爲甚麼你要信任姬芙琳？她身爲你侍女，卻搶了你的位置！』

安妮與姬芙琳對望，亨利八世等著看戲。

劇情卻有點出乎意料，安妮與姬芙琳齊齊望向亨利八世，齊聲說：『下賤的從來是男人！』

亨利八世萬分沮喪，看來只有死路一條。

亨利八世拚命搖頭：『不！不！你……不……醜……』他吃力地在血水溢滿的口腔中吐出這句話。

安妮贊同起來。『完成後，看看誰才是最醜！』說罷，故意瞄了他一眼。

姬芙琳建議：『不如索性剪開他整張臉！』

安妮冷笑。『事到如今，你說甚麼也只是枉然。』

亨利八世流出眼淚來，分不出他是痛楚抑或懊悔。

兩個女人各就各位，準備進一步行動。

忽爾，走廊上的另一道門打開，這次走出來的是蒙娜麗莎。

亨利八世以渴求救援的眼神望向她。

蒙娜麗莎顯得溫柔淡定，她微笑著步近走廊中的三個人。

愈走得近，她的溫柔就愈逼真，甚具力量地凝住了這個可怖的空間。

她站到亨利八世跟前，臉上亮起了聖潔的光芒。

亨利八世整個人鬆弛下來，他的目光不再惶恐，眼裡的反映是蒙娜麗莎悠然自得的一張臉。

那感覺輕鬆得像正在野外郊遊一樣。

蒙娜麗莎維持她的微笑，然後攤開左手手掌。

安妮敏捷機警地把剪刀放到她的掌心中。

亨利八世看著蒙娜麗莎提起剪刀，卻毫不驚惶，反而有種安心的快慰。隱隱知道，幸福離他不遠。

他深信，這個女人就是他幸福的泉源。

蒙娜麗莎把剪刀的利剪朝向自己的臉。她拿起一小撮黑髮，用剪刀剪下來。然後，她把那撮碎髮放進亨利八世被鎖著的左手手心。

她俯下身來，輕輕說：『這是你應得的。』

亨利八世猶如被催眠那樣，呆呆滯滯，目光渙散，恍如靈魂出竅。

蒙娜麗莎笑了笑，再站直把剪刀交還安妮，繼而輕盈優雅地步過亨利八世的身旁。不知從哪處盪來微風，吹送了她獨特的、混和了顏料氣味的體香。

迷惑了有心者的感官。亨利八世陶醉得合上了眼睛。

蒙娜麗莎遠走，亨利八世緊握她所贈的碎髮，他從她的髮膚中得到力量。

重新張開眼睛後，就連樣子也精靈起來。

他在心裡默想：『有了她，我甚麼苦也不怕承受。』

滿身都是從臉上傷口流下來的鮮血，血漬斑斑的男人，卻亮起一種『努力奮鬥』的奮勇表情。

看得安妮與姬芙琳深深感動。

『眞不枉我當初下嫁你！』

『這才是國君風範！』

亨利八世的眼眸晶亮，氣魄上進積極。

安妮與姬芙琳互望一眼，如是說：『要繼續了。』『這個大胖子也似乎準備好。』

『該剪臉嗎？』

『抑或先剪掉舌頭？』

『如果剪掉舌頭，我們就聽不到淒厲的叫聲。』

『那麼，舌頭當然就是最後才剪！』

酷刑又再開始。那把殘酷的剪刀，在亨利八世的臉上剪呀剪……剪呀剪……剪掉臉皮、剪掉眼睛、剪掉舌頭……

從此，安妮不用再擔心有人會怪責她醜陋。是故，她心滿意足地倚在亨利八世的木椅腳旁休息，流露一臉的稱心安然。

她微笑地嘆息，一副了結了心願的幸福。

而忽爾，頭頂上飄來點甚麼，她抬頭一看，原來是初雪。雪花一片片，通透漂亮得教她看得清當中的枝理圖案，精緻極了。

安妮以手心盛載雪花，雪落在她染血的手掌中，融化為點點滴滴的淡紅。安妮滿身滿面都是從亨利八世濺出的鮮血，不斷飄落的細雪，正好沖淡血的哀艷。

一切已變得寧靜，亨利八世彌留在極痛中，依然清醒但沒再發出半點聲音。被剪破了的臉仍在滴血，被剪掉了的舌頭隨意地躺在雪地上。姬芙琳不知從哪裡找來針線，她站得直直的，把針線穿好，替亨利八世縫補傷口。

針刺進肉，線又刮在肉的小洞中，亨利八世的痛楚再次鮮活，剩餘下來的、完好的左眼眼皮不住跳動，舌頭的根部隨痛楚震動。姬芙琳仔細地一針一針把傷口縫上，單單嘴角上的一條三吋長的傷口就各需十針，這樣子，亨利八世這張破臉，起碼須縫一百針以上。

每一下的縫補都痛入心扉。針刺入肉會痛，那粗硬的線拉扯在皮肉中就更痛。他只好把蒙娜麗莎的碎髮握得更緊。最後，他痛得全身痙攣，在猛烈抽動了數下之後，終於昏了過去。

縱有再強的愛情鬥心，也還是忍耐不了。

姬芙琳臉上一直帶笑。當她把亨利八世空洞的右眼眼瞼縫上之後，她就歡樂地原地轉了兩圈。

『嘻！』她作出一個伸手介紹亨利八世的姿態，並且鏗鏘地說：『我向各位介紹——英國國君亨利八世！』

形同爛布偶、被拆散又湊合重組的臉，畸形可怖地赤裸裸的展露著。

受害者已被摧殘得元神殘缺、痴呆、痲木、無尊嚴、無反抗意識。仍有心力餘興的永遠是高高在上，滅絕人性的施虐者。

飄著雪的走廊上迴盪掌聲，然而走廊中只有他們三人：毀了容又半生不死的亨利八世、坐在地上玩弄雪花的安妮，以及動靜恍如舞台司儀的姬芙琳。這三個人，組成了性質獨特的鐵三角。

＊　＊　＊

迷迷糊糊間，亨利八世嗅到顏料的香氣，就算神智再不清醒，他也急於醒來。啊，這氣味就是他生命的全部。

他張開他的左眼，果然，蒙娜麗莎正俯身低頭靠近他，她的神情愉悅精靈。『喂！白痴肥仔！』

亨利八世虛弱地笑起來，然後，他就明白了甚麼是劫後重逢。但無論甚麼時候看見她，她總是那樣教人入迷，此刻，她就帶著一種討好的爽快氣質。疲累的笑容滲著暖暖的愛意，亨利八世爲著這觸動而深深嘆息。

蒙娜麗莎轉身，拿來一面早已準備好的大鏡，亨利八世心一怔，立刻敏感地別過臉說：『不！不！我不要看！』

話一出口，是他自己首先愕然。怎麼，居然舌頭可以說話？

蒙娜麗莎說：『別像個膽小鬼！』

她把大鏡正正放在他面前。亨利八世定神一看，他有眼睛有嘴巴，兼且有舌頭，皮光肉滑白白胖胖的，是完好無缺的一個人。

忍不住就心花怒放，喜出望外。『啊！我的臉……』像個女人那樣，亨利八世對著鏡子輕撫臉龐。

蒙娜麗莎說：『你的表現很好。』

亨利八世高興得喜孜孜。『殿下滿意，就是我的心願……』

蒙娜麗莎笑著說：『說眞的，看著剪刀剪破你的臉，我覺得刺激又激動！』

『好看嗎？』亨利八世以手指拉動面皮，再以指頭裝出剪刀的模樣。『想看的話我不介意爲你剪多幾次！』

『不必了！』蒙娜麗莎擺了擺手。『重複就不是優秀的虐待。』

亨利八世恭敬地唯唯諾諾。

蒙娜麗莎眼睛溜向上，滿載著憧憬。『剛才看著你受苦，我也有一點點惻隱……』

亨利八世瞪大眼，有那等候宣布頒獎的神色。

蒙娜麗莎卻說：『然而，心仍然不跳……』她把手按在心房上，表情淒然。

亨利八世看得心痛，他走上前去緊握著蒙娜麗莎放於胸前的手，這樣對她說：『爲了你，我願意承受更高層次的虐待！』

蒙娜麗莎的目光如一團夢，輕輕飄進他的眼眸中。『謝謝你。』

接著，她輕吻在他的臉龐上。

亨利八世樂得飄呀飄。整個世界，都變成醉人的桃紅色。

亨利八世看著面前美人，如是說：『你眞是一個最美麗的謎，但我終有一天會把謎底解開！』

蒙娜麗莎望著他，定定的，牢牢的，實實在在看了半晌。亨利八世就由滿懷自信轉變爲不自在。

蒙娜麗莎的神情冰冷而嚴厲，她說：『我的存在是爲了被人欣賞，而不是被人了解！』

這句話的餘韻未過，亨利八世已經全身僵硬，他從蒙娜麗莎的眸子內看到自己驚慄的臉，就這樣，他被自己的表情嚇倒。

蒙娜麗莎的表情極冷酷。亨利八世忽然明白這個女人要男人永遠猜不透。

剛想說些補救的話，蒙娜麗莎卻一手推開他。那力度並不強烈，但亨利八世卻以極速倒退往後，離心力之強，及得上飛墮山崖那樣。急速後退了五十呎，然後，他被一個女人從後攔截抱住，回頭一看，居然是姬芙琳。

亨利八世問：『怎麼又是你？』

姬芙琳回答：『你令我人頭落地，我沒理由出一次場就放過你！』

姬芙琳笑容甜美，像在說著甜言蜜語那樣。

『來！站穩！』姬芙琳扶起亨利八世，站好後，他發現自己正身處一間設施完善先進的健身會所。而他與姬芙琳都身穿運動服裝。

亨利八世從鑲嵌在牆上的大鏡中打量自己，覺得這種打扮十分新鮮。

姬芙琳說：『你知道嗎？你之所以有幸娶我爲妻，只因爲你是一國之君！』

亨利八世聳聳肩，不置可否。『我倒認爲就算我不是國王，我也是條件一流！』

『No! No! No!』姬芙琳豎起指頭搖晃。『如果你不是國王，又不富有的話，你只是一個野蠻、討厭的傢伙！』

亨利八世眼珠一溜，神情尷尬。

『根本吸引不了我！』姬芙琳囂張地說。

受到挑釁，亨利八世如是說：『你說吧！怎樣才算是有資格有條件？』

姬芙琳便說：『減肥！你刪減一百磅、身形又fit的話，才算是合條件的男人。』

『一百磅……』亨利八世低頭望向自己的巨大肚腩，顯得有點猶疑。

忽然，蒙娜麗莎身穿瑜伽服走過他面前，輕快地拋下一句：『三百磅的白痴肥仔，哪有女人願意抱上床！』

就這樣，亨利八世被激發出鬥心，他自動自覺走上跑步機，然後立下志向：『我就是要成功給你看！一百磅，算得上甚麼！』

目送蒙娜麗莎走進瑜伽室中，亨利八世激昂地啓動跑步機程式，開始進行他的減肥大計。

蒙娜麗莎和她的同伴做出姿勢曼妙的瑜伽動作，一舉手一投足都性感吸引，亨利八世一邊欣賞一邊在跑步機上拚命跑，不知不覺就度過了半小時。

他向站在旁邊的姬芙琳說：『要停下來休息！』

姬芙琳瞪大天眞無知的眼睛，這樣告訴他：『我沒說過可以休息。』

『甚麼？』亨利八世汗流浹背，心臟劇跳，氣喘如牛。

姬芙琳重申：『這跑步機一經開動就不能被停下來。』

『那怎麼辦？』亨利八世著急地問。

姬芙琳有那無所謂的表情：『跑到你死爲止……』

『不會吧！』亨利八世一臉不可置信。『我只是來減肥的呀！』

姬芙琳不理會他，姿勢婀娜地走開，亨利八世完全叫不停她。意圖由跑步機走到地面，卻又發現步伐被跑步機牽引吸附著，根本無法離開。

才不消半小時，肥胖的他已全身汗濕，實在不知道可以再捱多久。但一想起蒙娜麗莎也嫌他肥胖，便又只好忍下去。

跑呀跑呀跑。亨利八世默默承受著負荷不了的辛勞，唯一的安慰就是蒙娜麗莎曼妙的瑜伽姿勢。

不久，他的小腿痠痛腫脹。蒙娜麗莎已由瑜伽班轉去了女子拳擊班；她穿上女子拳擊的背心、熱褲，又戴上拳擊手套，看來很有野性美。亨利八世就以欣賞來嘗試忘記不斷跑步的艱辛。蒙娜麗莎活力十足地彈跳揮拳。亨利八世早已辛苦得無法挺起上身，他張開口，眼翻白，有氣無力死命地跑。他已經跑了足足兩小時，雙腿痛得像快要折斷那樣。亨利八世臉色慘白，近乎虛脫。後來蒙娜麗莎輕輕鬆鬆改跳有氧舞蹈，one more two more，笑容滿臉，動感十足。

但蒙娜麗莎跳有氧舞蹈的動作忽爾變得緩慢，像個慢動作機械人……

亨利八世那張大的口已合不上來，口水無意識地長流……

終於，亨利八世眼前一黑，龐然大物地昏倒在跑步機上。蒙娜麗莎跳畢有氧舞蹈，就用毛巾擦著汗走到健身會所的大堂中，她走過倒在地上的亨利八世身旁，看了他一會，面露不屑然後急步走開。她簡直當他是過街老鼠。

亨利八世努力撐開雙眼，剛趕得及看到蒙娜麗莎遠走的背影，因爲這一眼，心就甜了，心裡頭想到的是，這個女人，眞是一顆會行會走的催情藥……

然後，他才安安樂樂地昏死過去……

亨利八世後來是痛醒的。

唇部痛得發麻，這種痛既熟悉又陌生。睜開眼來一看，便看見姬芙琳蹲在他面前拿著針線正幹著些甚麼。

下意識地把身體縮向後，唇部立刻刺痛。

『哎——』想發聲叫出來卻又不能，而姬芙琳手中的針線被拉跌到地上。

亨利八世伸手按到嘴唇，赫然發現自己的兩片嘴唇正被針線縫合。當下就手足無措。

『別動！』姬芙琳伸手摑他耳光。

『你……』亨利八世發狂一樣指著她。

姬芙琳卻氣定神閒。『要你跑步你又暈倒，看來只有令你封嘴禁食才可以使你減磅。』

亨利八世瞪大眼，但又欲抗無從。

從牆上大鏡的反映中，亨利八世看到他的嘴唇被五個『X』緊緊的縫合上。他知道，亞馬遜森林的食人族同樣會把犧牲作食用的屍首的嘴巴以『X』的方式縫合，作用是防止死者的靈魂告密。

亨利八世看著自己的樣子，非常無奈。

『來！讓我剪掉線頭。』姬芙琳把線剪斷，然後說：『你不食不喝，隨便做做運動吧！三日三夜後或許可以瘦十磅八磅。』

亨利八世只得聽命，被縫上嘴巴的他，就開始在健身室會所內嘗試各種運動器械。

減磅減磅減磅。一定要瘦起來，要不然蒙娜麗莎不喜歡……

不久，在會所轉角的一個小房間中傳來女人的歡笑聲，亨利八世好奇上前察看，居然是蒙娜麗莎與他的五名妻子在吃大餐，烤雞、義大利麵、燒牛肉、焗魚、蛋糕、布丁……她們在他努力減肥期間大吃大喝。

蒙娜麗莎甚至向他招手，他乖乖的就走進去。蒙娜麗莎手握著雞腿，這樣問他：『很想吃吧！』

亨利八世不好意思地笑了笑。那被縫上的嘴巴彎起來，有點怪異。

然後蒙娜麗莎就說：『所以偏不給你吃。』

她說罷，珍西摩就伸手把亨利八世推出房門外，門關上之後，這班女人就在七嘴八舌說他壞話。

『胖子最沒用，連自己的體重也控制不了！』

『枉他還怪我與其他男人有染！他又不想想自己躺下來時似隻豬公！』

『每回他狩獵完畢回來，半間城堡都是他那肥臭汗味……』

『他脫光後的樣子根本就是個怪物！』

『如果他不是亨利八世，這樣子的男人還會有女人要嗎？』

亨利八世蹲坐在房門外，一邊忍受著飢餓一邊承受妻子們的侮辱，忽然，悲從中來，就飲泣了。他從不知道，在她們心目中他是這樣的一無是處，原本還以爲是自己對她們無情，原來她們對自己亦是無義。那時候的溫柔軟語，其實全部假仁假義吧？她們當中無一個眞心愛過他。

房門被打開，姬芙琳走出來踢了他兩腳，然後對他說：『喂，我的姊妹們剛告訴我一個新的減肥方法。』

亨利八世擦了擦眼淚，含糊地從嘴巴的縫隙中吐出聲音：『可行嗎……』

『切除多餘脂肪呀！怎麼不可行？』姬芙琳瞪大圓圓的眼睛，表情兇兇的。

亨利八世頃刻變得惘然。他明白，受苦的時間又到了。

這群女人對他並非真心，還有甚麼事做不出來？默默地，亨利八世在心中嘆息。

果然，第一任王后嘉芙蓮和第二任王后安寶琳從房間推來一張手術檯，第三任王后珍西摩捧來手術用具，第四任王后安妮準備好盛載血水的木盆，第五任王后姬芙琳則指使亨利八世躺到手術檯上去。

五個女人七手八腳替亨利八世脫掉衣服，手術檯上躺一個痴肥臃腫但身分尊貴的身軀。

亨利八世看到姬芙琳舉起手術刀，同一時候，他又看到蒙娜麗莎移來一張椅子，擺放在手術檯旁邊，她以畫中人的嫻雅姿態坐下來，接著又溫暖誠懇地握著亨利八世的手掌，以最具鼓勵性的仁愛目光望向他。

蒙娜麗莎有話要說：『你明白嗎？世上的感覺，沒有一種比痛苦更加鮮明。』她的語氣溫和有禮得像個中學校長。

姬芙琳的手術刀已割在亨利八世的肚皮上，他忍著痛，從被縫上的嘴巴中發出低沉的呻吟。嘉芙蓮和安寶琳出力按住他，珍西摩和安妮則急不及待以手撐開亨利八世的肚皮，檢視當中的脂肪。

痛苦難當的亨利八世不斷搖擺頭顱，蒙娜麗莎只好把他的手握得更緊，誠意溢滿地開解他：『也請你明白，傷害別人時，能令人有種服用春藥的昇華感覺。』

亨利八世把眼珠溜向蒙娜麗莎，眼神中夾雜了痛楚、無奈、沮喪、絕望，以及懇求。

蒙娜麗莎在這個活地獄中送給亨利八世一個溫暖怡人猶如春天明媚的微笑。

亨利八世就在這樣的微笑中淒淒飲泣了。

實在痛不欲生。亨利八世在心中命令自己：『享受這痛……享受這痛……』

安妮伸手插進亨利八世的肚皮，然後抓出些半透明糕狀物體。珍西摩看見了，就一臉厭惡。嘉芙蓮、安寶琳、姬芙琳卻顯得興奮，紛紛徒手又或是手持工具，往亨利的肚皮內切切割割。

『真是大開眼界！那層脂肪足足有六吋厚！』姬芙琳以切割豬排的手勢，把亨利八世肚皮內的肥肉割出來。

亨利八世淚水長流，死去活來。

蒙娜麗莎把亨利八世痛得神經僵硬的手按到自己的臉龐上，如此說：『我只不過在進行一種你容許我對你所施予的剝削。』

亨利八世聽得明白，他含淚點頭，並朝她拋來一個『你放心吧！』的表情。

蒙娜麗莎的心一怔，然後心胸迅速熱暖。他的態度令她心生感動。放心吧，隨便傷害我吧，我不會介意的。

『啊──』她連忙把雙手按在心房上，並且合上眼睛。

亨利八世看到了，剎那間他忘記了痛苦，只管著急。

一秒、兩秒、三秒。

蒙娜麗莎重新張開眼睛，失望地搖了搖頭。

亨利八世沮喪地彎下縫有五個X的嘴巴，比她更失望。

蒙娜麗莎扁了扁嘴，又拍了拍亨利八世的肩膀，然後她站起來，徐徐地離開這群忙於切割脂肪的女人。亨利八世目送她的身影，得到了她的鼓勵，他只好奮勇地再捱下去。

在她仍然給予他機會的一刻，他怎好意思不撐下去？她就是皇恩浩蕩。

咬緊牙關，他親眼看著這些女人把自己活生生地剖開。

姬芙琳和珍西摩的脂肪搜索得最落力，她們眼神發亮，神色貪婪，當把肚腩位置的脂肪切割出來後，又以手術刀向亨利八世的胸膛方向剖過去，她們把那雙像女人乳房的胸部贅肉切下來，然後又合力把亨利八世的身軀反轉，嘉芙蓮和安寶琳負責剖開他的臀部，厚重的肥肉被割出來，最後一班女人再合力處置他手臂和大腿部位上的脂肪。一堆堆脂肪被收集在盆子內，安妮和珍西摩吃力地把大木盆推上磅，然後就瞪大眼驚叫：『單單脂肪也重八十多磅！』

手術檯上的亨利八世一直是清醒的，縱然他的胸膛、肚子、臀部、大腿、手臂位置都被剝皮剖開，但他仍然知覺敏銳。他看著自己的身體，感覺如像看見一具八寶櫃，大大小小的櫃門都被打開來，而櫃內的寶藏全被大肆搜刮，然後無恥盜走。想到這裡，忽爾就變得幽默了，在那張痛苦的臉上，隱隱泛出一層薄薄的笑意。

亨利八世的人皮隨意地被攤開來，晃動半吊在手術檯邊緣，他的血和肉暴露在空氣中，就像一隻即將被平價賤賣的新鮮豬隻。

五名王后七嘴八舌討論著他的脂肪，興致勃勃。然後有人提議，切割了脂肪的亨利八世仍然超重，唯一可令他大幅度減磅的方法就是放血，當他變成全身無水分的人乾後，只餘骨頭、乾肉和外皮，大概就會達至她們心目中的體重標準。

於是，安寶琳就拿起刀胡亂地在早已暴露於空氣中的血肉上剖出刀痕，血就汩汩地流瀉而下。亨利八世瞪著眼望向天花板，他感到肌肉在抽搐，他感到痛楚，但他感覺不到反抗的意識。痛到盡頭，就自然麻木。

五名王后都滿身滿臉鮮血，她們的瞳孔因亢奮而擴張，表情時而瘋狂時而陰霾，也有點口齒不清。她們做了令自己快樂的發洩，在非常滿足之後，自然就跌入隱藏於高峰後的幽谷。狂喜的情緒來得太猛烈，事後便會有點神志不清。

嘉芙蓮、安寶琳和安妮累極蹲坐房門邊，姬芙琳和珍西摩則仍有心力研究使亨利八世持續滅磅的妙法。最後，是嬌滴滴的珍西摩如是說：『最能迅速滅磅的方法，不外乎是切掉他的手手腳腳！』

珍西摩望向第一任王后嘉芙蓮，嘉芙蓮已累極了，她聳聳肩，一副隨她喜歡的神態。珍西摩得到了允許，於是就拿起手術用的鋸刀，在亨利八世的膝蓋之下鋸進皮肉中去。

她的手勢生硬，不能穩定在同一個位置，亨利八世的皮肉也太僵硬，她出盡力量拉扯鋸刀，但並不順利。

安妮見狀，便站起來幫忙，她與珍西摩各站在鋸刀的兩端，像鋸樹的精壯漢子那樣，一前一後推進，二人合力，亨利八世的小腿漸漸被鋸得深入，鋸刀很快就碰到骨頭了。

亨利八世大概已忘掉了痛楚爲何物，他的神經系統替他封閉了這種感官。甚至他也忘記了何謂屈辱、淪落、被欺凌；他也該忘記了生存的原本模樣。

痴呆地，他眼睜睜瞪著天花板。

珍西摩和安妮終於把亨利八世的小腿鋸切下來，她倆額頭上滿是汗水，呼出一口舒懷的感嘆。自動自覺上前接力的是嘉芙蓮和姬芙琳，她們合力鋸去亨利八世的另一隻小腿。不久，成功了之後，安寶琳和安妮接過鋸刀，開始切除亨利八世的左臂；隔了一段時候，珍西摩和嘉芙蓮就爲她們的夫君鋸走最後的一條肢體。

亨利八世便成爲了一名無四肢的男人，姬芙琳拿出針線，替他把皮膚縫補好，完成後，發現亨利八世的皮膚鬆鬆垮垮的，切割了脂肪之後，肌膚便嚴重鬆弛。

亨利八世已變身成爲一破舊、經過多番縫補、鬆鬆空空的麻包袋。

如果他仍然夠資格被稱爲『人類』，大概就成爲世界上外形最獨特、最富創意的人。

最不可思議的事，在他身上連番發生。

她們合力把他推上磅，繼而驚讚聲音不絕。亨利八世全身無多餘脂肪，又無肥大臃腫的四肢，血也被流放了不少，於是，最終，他的體重變成只有一百二十磅。

『了不起！』『不可思議！』『我們成功了！』

『好姊妹！我們該要好好慶祝一番！』

五個女人圍在一起手牽手，友愛又歡樂。那種笑容和眼神，只有擁有最純淨的心靈才發揮得出來。血漬斑斑，白牆上甚至有被血濺出來的圖案，而亨利八世的手手腳腳，隨意地掉落在形如血湖的地板上。五名王后已由牽手變成擁抱依偎，她們的關係更形密切了，不單是亨利八世的過氣妻子，現在更加成爲合力改造亨利八世的女人。

瘦身成功的亨利八世最終被棄置於淒冷的街角上，他的王后們喜歡看他淪落成乞丐的角色。安寶琳如是說：『其他事情我不敢擔保，但讓他當上乞丐，必定成功！』

王后們全部同意。說到底，她們也想不出讓夫君步向成功的另一條途徑。

珍西摩忽然說：『我們當初要他減肥，目的不外是要他變得英俊瀟灑，就算沒有國君的身分，也會有女人愛上他……』

眾王后就沉默不語。夜間的冷風吹來，削薄鋒利，亨利八世的傷口又特別敏感，一陣寒風刺痛後，他就如被打敗的怪物，應聲倒到地上。

無人意圖回應珍西摩的說話。她們一個接一個轉身離開，背影都帶著完事後的失落悵然。

無手無腳，嘴巴被縫上的亨利八世倒臥在寒風中，衣衫上的血漬凝結成一塊一塊，無助、醜陋、無生命，他是一件無任何存在價值的物體。

弄至這種田地，真是連自己也想不到。街燈遠遠散發著昏黃的光，昆蟲撲光而飛，牆上反映著亨利八世渾沌一團的黑影。寂寞、荒廢、黑暗、落魄、被遺棄……風冷刺骨，他顫抖著，卻已沒有雙臂環抱瑟縮。

被踩扁了的汽水罐於風中翻滾，街上空無一人。然後蒙娜麗莎自漆黑中走前來，站在遠距離的幽暗之處凝望自己的傑作。

三番四次，她把這個男人虐待至體無完膚，她為這種任意妄為感到至高無上，也從施虐中得到興奮。然而，做得再淋漓盡致，也得不到愛情。

不知不覺的，蒙娜麗莎的眼淚汩汩而下。她看著這件怪物，內心不住的悸動。好可憐好可憐，這甚至是她一手造成的，事到如今，她有點於心不忍。

風吹起她眼角的淚水，那飄散空中的晶瑩水珠，閃耀出微光。星星已由天上掉落到身旁。

她掩臉飲泣，哭得十分淒涼，這個男人的可憐深深打動了她，她整顆心都是酸的。

但是，她知道，縱然心再酸、再有觸動，都不是愛情。

她淒然地說：『我怎樣才會愛上你？你已爲我受了那麼多苦……』

『我是不是永遠不會愛上你？若然如此，我不止辜負了你，也辜負了我自己……』

『是否我永遠不會愛上你？我的心永遠不會再有一刻心跳……我很痛苦……』

亨利八世聽見她的淒苦，他抬起一張受盡苦頭的臉，朝向哭泣的她望去。

蒙娜麗莎與他對望，她發現，亨利八世的目光充滿慈愛。

風把他心中要說的話傳至她的耳畔：『不用怕，我還未放棄……讓我爲你作夢吧，再深的虐待，我還受得起……再痛再苦我也不怕，只要我肯堅持，我仍然抱有你會愛上我的希望……不用怕，蒙娜麗莎請你不用怕……』

亨利八世的目光閃爍著愛情，看得蒙娜麗莎心痛。這個男人，在最痛之盡，也沒忘記溫柔和愛。

『呀——』她仰天高叫，苦不堪言。

實在太不明白，爲何他仍要堅持，走到這地步，連她也受不了。

受不了……就連再邪惡再無情再擅長施虐的人也受不了。

風裡仍然飄盪他說不出口的話：『來吧，擁抱我吧！擁抱我一起睡，讓我在最萬劫不復的噩夢中給你愛情的靈感……』

蒙娜麗莎按著自己的心房，她已哭得沙啞。淚水溶化了顏料，她的臉容花斑斑的。看上去，她也同樣可憐兮兮。

『不如我們停止吧！我已不想再追求心跳。』事到如今，是她在哀求。連她也覺得痛苦。何必弄至滿目瘡痍？只不過，爲著得到愛情。

亨利八世卻伸出他兩邊的斷臂，意圖給她一個擁抱。

『來吧！擁抱我睡吧！我已累得神志不清……』

她感受到他的語言，然後她決定步向他。她蹲下來，張開雙臂抱住形如怪物的亨利八世。不能被抱著睡的男人，立刻渾身抖震。

她吻了吻他的額角，然後以指頭拉鬆亨利八世嘴巴上的縫線。她對他說：『爲甚麼你會害怕與愛人擁抱入睡？你知道嗎？在五百年前，那個愛我的人終其一生也得不到我的擁抱……』

他的嘴巴已能自由地說話，卻又甚麼話也說不出來。亨利八世抖震得如癲癇暴發，意識漸次迷糊。在被擁抱的惶恐中，他一步一步進入險峻的噩夢裡。他甚至意識得到，死亡的貼近。眼球急速翻動。在入夢前的一刻，他抓緊自己清醒的心靈，說了一句：『這眞與自殺無異……』

然後，一切死而後矣。亨利八世跌進噩夢中。

＊　＊　＊

亨利八世看見自己一雙跑步的小腿，短短的、白白的、胖胖的，他猜想，那時候才不過八、九歲。而孩童時代的亨利八世，是名俊美秀雅的小男孩，較一般孩子要胖，但亦較一般孩子漂亮嬌美。別人常說，皮膚白皙五官精緻的他，像個洋娃娃。

夢中亨利八世一直氣急敗壞、心情惶恐地跑，跑過面對花園而本身又蔓藤滿佈的長廊，在走到盡頭之後又跑到僕人居住的平房，他繞著平房跑了一圈，就走到城堡的另一端，那間石建的小屋內擺放了長木桌、裝飾用的碗櫃、鐵燭台、煮食用的火爐，以及林林總總吊著風乾的肉食，和一籃籃蔬果瓜菜。

那是廚子的工作間。亨利八世慌忙地跑進這所空無一人的小屋中。

實在跑得太急，那喘氣聲沉重得激發起回音。

有人要追殺自己，而他知道那會是誰，是居住在城堡另一角落的那名中年修士，他長得高大冷酷，皮膚白裡透青，灰綠色的眼珠常常閃亮出冷光，他的頭髮是橙黃色的，下巴束有短而稀疏的鬍子。

亨利八世躲在麵包烤爐之後，果然，沉重的腳步聲在木門外響起。他探頭一望，看到熟悉的修士袍，以及那雙粗糙的皮鞋。

立刻渾身一震，心口發悶。被修士發現的話，結果只得一個：先姦後殺。

誰也避不了。

上一次，修士捉著一名不知出處的小男孩，當著亨利八世面前把那名小孩的褲子脫掉，小男孩羞愧地嚎哭，而修士的神情淫邪又陰險，他對著瑟縮一角的亨利八世冷笑，那笑容彷彿正表明，下一個受苦的就是他。

亨利八世目睹那過程，他一生也忘不了，原來男孩子也會被人這樣傷害……

修士殘害小男孩，小男孩嚎哭哀慟，而修士的神情，卻盡得享受……

回想起來也震慄得想哭。亨利八世躲在麵包烤爐之後，悲痛地掩住快要落淚的臉。

修士隨意向他的方向溜了溜眼珠，亨利八世立刻全身顫抖。

他太明白，原來男孩子也可以被人那樣傷害……

修士似乎有點疲累，他倒了一杯水快速地喝掉。空杯子敲在木桌上的聲音有一種不合理的轟然巨響。

亨利八世嚇得全身肌肉抽搐。

修士右左探看，然後步出房子。亨利八世見機不可失，於是由麵包烤爐的位置跑到後門，卻冷不防碰跌了盛載牛奶的鐵壺。

他回頭一望，正好修士也在大門之外回頭向他望去。不得了，亨利八世尖聲大叫，直奔向後門外的小石路上。

不要不要不要，不要被他活捉。

原來就連小男孩，也會被人那樣傷害……

尤其是那些長得漂亮的小男孩，最危險……

他一邊跑一邊哭，哭得淒厲無助。他飛快地跑向樹林中，但覺再也承受不了被追殺的壓力，把心一橫，不如找株大樹吊頸自盡好了。於是他停步下來，在大樹林立之處四處張望。但樹太高太壯，要爬上樹丫吊頸，看來也力有不逮。而回頭向後面的路望去，修士居然追不上他，修士的身影細小，亨利八世那雙小胖腿，就如雲箭飛快，拋離了追殺他的人。

於是亨利八世決定繼續跑步逃走。

跑呀跑，就跑出了樹林，疲累的雙腿跑入一幢精緻的白色石屋內，石屋共分兩層，內裡擺滿了布匹和鮮花，芬芳又光亮，大概是某個侍女的住宅。他跑上閣樓，看見靠窗一角放了一個盛載布匹的巨型木箱，於是就躲藏進去。從木箱的隙縫中，他可以看見屋子內的情形，亨利八世抱著一卷花布，屏息靜氣，驚惶地等待。

突然地，他有那明知死定了的心情。這個才八、九歲的小王子，徬徨無助得快要尿濕木箱內名貴的布匹。

男孩子也會被先姦後殺……有些苦難，並無性別之分……

死定了死定了……他將在修士那奸邪淫穢的臉孔下飽受摧殘……死定了……

不久，他聽見樓下有腳步聲，然後，腳步聲由樓梯傳上來。他從隙縫中窺看，修士那雙粗壯的腿，正昂然步向他所在的位置。

亨利八世的瞳孔擴張，心臟快要停頓。

木箱被打開了，他感覺到修士的手向他伸進來……

亨利八世只好愈縮愈低……

剎那間，尿道一熱，終於忍不住尿濕了褲子……

死定了死定了……

他抬起眼睛，看見修士伸進箱中的手指……

亨利八世張大口，準備尖叫……

正要發出聲音來之際，卻又發現，修士的手指並沒碰上他，亨利八世感受不到成年男人那如鬼爪般冷酷的雙手。

驀地，一股前所未有的勇氣湧上心頭，亨利八世縱身一跳，就由木箱中彈起……修士果然就在他眼前……

亨利八世定神一看，繼而就放聲尖叫：『啊——』

實在太太太奇怪了……

修士根本對他視若無睹。

修士的確正埋頭苦幹地在木箱內搜索，但他處心積慮要加害的竟然是蒙娜麗莎……

只見修士把表情痛苦不堪的蒙娜麗莎由同一個木箱中拉扯出來，蒙娜麗莎就如世上最虛弱的人那樣，無法從修士的邪惡中反抗。而修士就在蒙娜麗莎無辜和苦楚中益發意氣風發，那種神態和動靜，活脫脫就是個大狂魔。

蒙娜麗莎死命扯著木箱邊緣作垂死掙扎，不肯讓修士帶走。亨利八世意欲伸出雙手救援，卻發現自己仍然僵硬地佇立木箱之內，手腳如被石膏封住那樣，動彈不得。

眼看修士已把蒙娜麗莎強行由木箱內抓出來了，亨利八世卻完全幫不上忙，他無助又憤怒，唯一能夠做的只是哇哇地嚎哭。

修士抓住蒙娜麗莎的頭髮，粗暴地拖行哭叫著的她。

亨利八世再次尿濕。他打了個寒顫，又流滿一臉的淚，向著被拖走的蒙娜麗莎大叫：『蒙娜麗莎……』

蒙娜麗莎就以世上最深沉的痛苦眼神回頭望向這個被迫見死不救的小男孩。

救我吧……

救我吧……

救我吧……求求你……

她已被拖離得很遠，而她的眼神，一步比一步深沉。就這樣，亨利八世從她的目光中跌墮進深淵。

亨利八世仰天哀鳴。他發誓，世上再沒有另一種眼神，比此刻他所看見的，更叫他心碎……

死定了死定了……

一切都要完了……

＊　＊　＊

那嚎哭由夢裡延續到夢外，亨利八世抱著蒙娜麗莎哭醒。

蒙娜麗莎目睹那個夢境的所有細節，也不是不驚訝的，居然變成了別人噩夢的女主角。

亨利八世抓著蒙娜麗莎的衣衫，這樣說：『我不要你受傷害……』

蒙娜麗莎以冷漠神情回應他：『那只是一個夢。』

亨利八世猛地搖頭。『你不明白！夢境會成真！』

蒙娜麗莎牢牢望著他，半晌後，她這樣說：『那又怎樣？』

亨利八世激動地抓住她的臂彎，高聲叫出來：『不！我不要你因爲我受到任何傷害！』

蒙娜麗莎望著青筋暴現的亨利八世，然後淡然地丟下一句：『那關你甚麼事？』

繼而，轉身跳下床，步履優雅地離開他。

她感覺到亨利八世仍然以激烈澎湃的淚眼凝視她的身影。而不知怎地，她只覺得心如止水。

＊　＊　＊

過了一日一夜，亨利八世仍然爲著這噩夢而啜泣，哭得斷斷續續，嗆住氣。

爲的不是邪惡的修士，也不是爲了年紀小因而無助的自己。淚水不斷，只因爲蒙娜麗莎。

他實在忍受不了看到她被壞人帶走。一想到她會遭遇不測，他就悲憤得哭泣不絕。

哭至渾身虛脫。亨利八世倒到地上去，實在肝腸寸斷。

早已忘掉自己受了多少虐待，亦記不起自己有過多不勝數的恐怖時刻。自己的一千噸痛苦比不上蒙娜麗莎在夢中回望的一個眼神。

他可以皮綻肉破、人不似人；但蒙娜麗莎不能受丁點傷害。

哭得快要昏倒過去，亨利八世顫抖在一種奇異的痛苦中。

那種痛苦，名叫愛情。

大概無人會相信，他愛得這樣深。

＊＊＊

加尼美德斯正身處翡冷翠的園莊大宅中，他走在院子的青草地上，那處每隔五呎就栽種一株大樹，而大樹樹幹的影子長長地烙在草地上，組成整齊的一間一間橫紋。而每三株大樹之間就擺放了一個十呎高的白色雕像，有女神有天使有戰士，像在守護著些甚麼。

這是一個優美的園莊，一望無際。而天色也好，陽光溫暖明媚。

加尼美德斯踏過樹幹的影，又走過一個又一個雕像，然後他就想，今次或許會走得完。上次他在這片草地上走了許久許久，足足一日一夜，經過了數以萬計的樹影，也走過了數千雕像，卻仍未能走出草地的範圍。這裡日夜都有陽光，而陽光由同一角度射進來，這些樹的影子，從來沒移動過。

落葉片片，又黃又乾。加尼美德斯記起了蒙娜麗莎，她該在秋盡之前完成她的戀愛。

他俯身拾起一片落葉。當抬頭向前望之際，他發現了三十呎之外站著一個穿婚紗的小女孩。她手握花球望著他微笑。

加尼美德斯不認識她，但也緩步朝她步前。陽光下，一切都溫暖怡人。

小小新娘，有甜美的臉容，看上去八、九歲左右，化了一個成年女人的濃妝，而那套婚紗穿得她像個小花童。

她的眼睛很藍，頭髮很金。小女孩在陽光下望著加尼美德斯傻傻甜笑，像個散發著金光的洋娃娃。

他已站到她跟前，並向她鞠了躬，而她則向他屈膝行禮。小小新娘自我介紹：『我是Child Bride。』

加尼美德斯唸著她的名字：『Child……Bride……』然後他問：『你幾……幾……歲……』

Child Bride回答他：『二十五歲，我永遠只有二十五歲。我由一出生起就是二十五歲，但因爲我嫁不出去，因此，一年比一年年輕，現在我看來只有九歲。我只餘下九年時間，九年內再找不到我的新郎，我便會消失在這裡。』

加尼美德斯很同情她，他在樹影下皺起眉來。他問：『你究竟要找一個怎樣的新郎呢？』

Child Bride就甜笑起來，這樣說：『當然就是找一個相愛又互相欣賞的新郎啦！』

加尼美德斯也被她可愛的神情逗得笑容滿面，他說：『這樣完美，恐怕難找啊！』

Child Bride便說：『相愛和互相欣賞是所有愛情最基本呀！』

加尼美德斯點了點頭，不得不認同。

Child Bride眨了眨塗上閃藍眼影的眼睛，向加尼美德斯問道：『你會不會是我的新郎？』

加尼美德斯笑著說：『看來我應該不是。』

Child Bride一臉失望。『那我還得去找。』

然後，加尼美德斯問她：『如果……我要你被我虐……虐待，來交換我的愛……愛情，你會否答應？』

Child Bride瞪大眼睛，一臉驚奇。『這是怎麼一回事？當然不可能啦！』

『爲甚麼？』加尼美德斯問。

『因爲當中根本不存在愛情囉！』Child Bride 回答得理直氣壯。

加尼美德斯想了想，又說：『但或許你會成功啊！只要你肯挨揍，我就會愛上你！』

Child Bride 就世故地皺起眉，這樣說：『我不相信愛情能由施虐與被虐中產生。』

加尼美德斯問：『愛情由甚麼情況產生？』

『由互相欣賞產生。』Child Bride 的理念始終如一。

加尼美德斯十分認同。

Child Bride 望著他，再問一遍：『你眞的不是我的新郎？』

加尼美德斯笑得極爲燦爛，牙齒白得閃閃生光。『對不起，我相信我不是。』

Child Bride 嘆了一口氣，顯得氣餒。

加尼美德斯問：『倘若你九年後仍然找不到你的新郎……郎……呢？』

Child Bride 聳聳肩。『唯有消失，勉強不來。』

加尼美德斯同情地撇了撇嘴。Child Bride 禮貌地向他道別，然後與他擦身而過，朝向一個與加尼美德斯相反的方向走。

加尼美德斯回頭望向她那嬌小可人的娃娃身影，看著她穿過了樹幹的影和雕像的護蔭，繼續走往尋找新郎的路。

他看了一會，然後也在樹幹的影子中向前走。一邊走一邊想，該如何介入亨利八世與蒙娜麗莎的愛情中。

＊　＊　＊

加尼美德斯找到亨利八世的時候，亨利八世正在郊外狩獵。那是一個很幻妙的郊野，遠處的山巒鋪滿白雪，連綿伸延，白色的雪峰一望無際，山巒前是參天高的樹林，方圓千里；樹林跟前是一片浩瀚大沙漠，沙漠的左邊長有以『X』形生長的樹木，它們以一雙一對的姿態交扣成長，只是樹幹沒有枝葉；沙漠的右邊有一條橫生的小河，河中滿是魚。

亨利八世騎著白馬穿梭在X形樹的林木中，他手持獵槍瞄準突如其來出現的生物。一隻兔頭牛身的動物由樹後撲出來，亨利八世一槍把牠擊倒；然後一隻蛇頭虎身的動物由另一個方向躍出，亨利八世又把牠擊斃。繼而，怪形動物逐一又或是雙雙出現，明顯地，牠們的存在就是爲了供給亨利八世射擊，這一種狩獵，工整得像一個電腦遊戲模樣。

加尼美德斯騎著一匹藍色的馬步進林木叢中，亨利八世看見他便放下獵槍。加尼美德斯從馬匹跳到地上來，恭敬地向亨利八世行禮，亨利八世慌忙地躍下馬匹，請他站起來，並對他說：『今時已不同往日……大人你貴爲神祇，更加不用屈膝於我。』

加尼美德斯便站起身，向亨利八世問好：『國王，你近來過得好嗎？』

亨利八世目光立刻茫然。『我也不知如何啓齒……』

加尼美德斯問：『與蒙娜麗莎相處愉快吧？』

亨利八世更加茫然。『那一種愉快……簡直非筆墨可以形容……』他垂下了眼，欲言又止。

亨利八世的白馬踏蹄叫了一聲，於是他就牽馬往前走，加尼美德斯也跟隨著。

兩個男人、兩匹馬，由林木叢中走出來，走到金黃色的沙漠上，緩緩踱步，絮絮閒談。

加尼美德斯說：『蒙娜麗莎該沒來過這樣子的沙漠。』

亨利八世回頭望了望沙漠上的足印，然後便說：『她該沒來過。』

加尼美德斯拉著藍色的馬匹，這樣說：『國王會否考慮帶她來遊玩？』

亨利八世一臉驚訝：『殿下她從來沒提及啊！』

加尼美德斯就笑起來：『那你可以主動向她提及嘛！』

亨利八世依舊茫然。

加尼美德斯暗地嘆了口氣，這樣說：『國王，你知否如何換取一個女人的愛情？』

亨利八世反射性地說：『被女人虐待，忍受再多的痛！』

加尼美德斯失笑。『誰告訴你的？』

亨利八世乖巧地回答他：『Mystery 的三胞胎。』

『啊！』加尼美德斯了解地點下頭來，然後就說：『Mystery的三胞胎最擅長說一半不說另一半，她們要客人自己尋找答案。』

亨利八世表情苦惱。

加尼美德斯問他：『國王，你在生之時是如何令女人愛上你的？』

亨利八世抬眼望向雪山之巔，但覺恍如隔世。『我已差不多忘記了，如何使女人手到擒來……』

加尼美德斯便告訴他：『是因爲國王有權有勢，氣派不凡，言行具男子氣概，令人無法不聽命。』

亨利八世低頭沉思，他也實在差一點便全部忘記。往事俱往矣，不堪回首。

加尼美德斯說下去：『女人看得到國王的英明、果敢、決斷、霸氣、軒昂。』

亨利八世聽得皺起眉來。『是嗎……有這種事嗎……』

加尼美德斯說：『女人喜歡男人愛她們之餘又帶領她們。』

亨利八世望著遍地黃沙，努力地搜索前塵。

加尼美德斯又說：『女人愛一國之君。』

忽然，亨利八世但覺忍受不了。他望向加尼美德斯，如是說：『但Mystery的三胞胎只叫我忍受殿下的所有對待。』

加尼美德斯望進他的眼睛內，然後微笑。『但我相信，她們只意圖把你逼到一個絕路，從而令你眞正開竅。她們最會以反面教材教育客人。』

亨利八世立刻不知所措：『那我該怎辦？』

加尼美德斯告訴他：『你要有自己的主見和底線。』繼而再說：『我們已深知你愛上了蒙娜麗莎，但你一定要想出一個正確方法令蒙娜麗莎也愛上你！』

亨利八世又再陷入茫然中，他的表情無助而單純。加尼美德斯望了他一眼，決定隨他靜心領會。

兩個男人兩匹馬就站在沙漠中央，一個苦惱地思考，另一個趁空閒細賞四周風景。不久，從迎面的方向走來一個細小的身影，加尼美德斯定神一看，就看到穿著婚紗的 Child Bride，她也剛巧走到這片沙漠中。

加尼美德斯以笑臉迎接緩步前行的 Child Bride。她手持花球，步伐就如走在教堂中的新娘那樣，每走三步就停一停，甚具節奏。

加尼美德斯說：『我……我……們……』忽爾口吃的毛病又重來，當下就有點沮喪。眞是氣餒極了，每次的優雅，總突破不了半小時的極限。

Child Bride 甜笑依然，代他說下去：『我們又見面了。』

然後，Child Bride 望向沉思中的亨利八世，這樣問：『這位氣宇軒昂俊朗不凡的男士是誰？』

聽見女性的稱讚，亨利八世立刻就抖擻起精神，他向 Child Bride 自我介紹：『我是英國國君亨利八世。』

Child Bride 望著他，只覺這張胖胖的臉愈看愈叫她稱心。看著看著，就臉紅起來。她搖了搖手中花球，神態嬌俏。

加尼美德斯見狀，便說：『看來新娘子小姐甚爲欣賞我們的國王。』

亨利八世雙手按於心房上，禁不住洋洋得意。被女性愛慕的感受，眞有點久違了。

加尼美德斯問 Child Bride：『請……請問，你看……看上他甚麼？』

Child Bride 毫不害羞地說：『看上他儀表不凡、穩重有安全感！』

加尼美德斯又問：『你會不會因爲他願意給你虐……虐……虐待，所以才看上他？』

Child Bride就一臉驚異，不明所以。『虐待愛人可能是種情趣，但要愛上一個人的話……』她也說不出所以來。

亨利八世聽著，表情再次變得苦惱。

然後，Child Bride忽然問：『英國國君，你願意做我的新郎嗎？』

『我？』正如其他男人，亨利八世覺得她的提問太有趣。『不會吧！哈哈哈哈哈！』

Child Bride失望極了。『爲甚麼？』

亨利八世理所當然地回答：『我有我的蒙娜麗莎！』

Child Bride就恍然大悟。於是，她與他們擦身而過，繼續在這沙漠中直線行走。

亨利八世望向她小小的背影，迷惘的思緒似乎得到刹那的清醒。他愕然地轉身瞪著神情帶笑的加尼美德斯，驀地好像明白了些甚麼……

* * *

黃昏之盡，天與河面都是金銅色。

在日與夜的交界中，蒙娜麗莎步進倫敦塔之內。殘光映照不進，倫敦塔內的燭光被陣陣陰風吹得飄忽。蒙娜麗莎以小舟橫渡塔內的小河，抬頭一望，就見一排又一排的人頭被吊起示眾。

千百年間，究竟死了多少人？密集的人頭沿著每層樓層的欄杆吊下來，蒙娜麗莎看著看著，就引發起幻想的空間。大概只須在每個頭顱上加上燈泡，串連一起之後，便能變成聖誕燈飾。

Jingle Bell Jingle Bell Jingle Bell，人頭燈飾以怪異的音調頌唱從死亡而來的讚歎。

瘋人般的哀號四周迴盪，淒然冰寒。蒙娜麗莎把小舟撐到一道樓梯旁，然後掀起裙襬，離開了小舟，再從濕滑的石梯拾級而上。燭光映在牆上，那晃動的影子試圖重組往日的淒涼。蒙娜麗莎一直往上走，在淒厲的哭喊聲中，她感受得到一種孤獨。她明白何謂淒涼，但她無法消解。

她走在塔內的第三層，然後停在一道厚重殘舊的木門前，以一道巨大的銅匙把它開啓。房間內彌漫腐爛的香氣，蘊蘊鬱鬱，並不屬於人間。

她走向房間中央的木桌，背窗坐下來。木桌上擺放了一個玻璃瓶子，瓶子之內泡浸著一個胚胎。蒙娜麗莎以指頭輕敲玻璃，胚胎的小小身軀立刻抽動，它張開了那雙浮腫的眼瞼。

蒙娜麗莎朝向胚胎微笑，胚胎亦回報她一個促狹的笑意。這兩個相視的人，是相愛的。

蒙娜麗莎伏在木檯上，如是說：『我鬱悶，充滿煩惱。』

胚胎聽懂她的話，於是就從那無唇的嘴巴上擠出一個横横的苦笑，以示同情。

蒙娜麗莎把臉湊前，隔著玻璃瓶親吻它。『我愛你。』她說。

胚胎樂極了，在瓶中手舞足蹈，激起了許多水花。

看著它，蒙娜麗莎覺得快樂，這小小胚胎，對她來說代表了太多。

她問它：『我兒，你愛媽媽嗎？』

胚胎張開雙手貼著玻璃，拚命點下頭來，蒙娜麗莎便咧齒笑了。

胚胎逕自在瓶中轉了一圈，然後又表情趣怪地望向她，那被藥水日夜泡浸的小臉，早已皺得一如老人；當它笑起來時，活像個患了衰老症的迷你小丑那樣。

『有甚麼話要對媽媽說？』蒙娜麗莎溫柔地問。

胚胎扁起嘴，重複地搖頭。

蒙娜麗莎托著下巴，對它說：『放心，媽媽不會永遠也苦惱。』

胚胎做了一個嘆息的表情。

蒙娜麗莎說：『只是，當你爸爸走了之後，日子便變得太不一樣。』她把雙手按於心房上，說：『連心也不會跳了。』

胚胎模仿她的動作，小手掌也放到心房上去。胚胎的皮膚呈半透明，蒙娜麗莎彷彿看到它的心瓣在跳動。

『連你也有心跳呢！』她嘆了一口氣。

倫敦塔外的天色已入黑，從黑色鐵枝窗口向天際望去，便能看見一顆一顆的星星。蒙娜麗莎看著星空，有感而發：『我的心不能再跳，是否因我把你的爸爸囚居於內？』她望向胚胎，笑得悵然。『心坎內的囚犯分量太重，阻礙了我的心跳。』

蒙娜麗莎又嘆一口氣，胚胎看見，便又模仿她。玻璃瓶中泛著由胚胎輕嘆而來的氣泡。

蒙娜麗莎抓了抓頭，這樣說：『看來，我永遠不可能心跳。』

胚胎拍打瓶子，不住搖頭。

蒙娜麗莎微笑，說：『我只能從你父親那裡感受到愛意，然後悠悠長數百年，我也在流離浪蕩。現在有一個被配對給我的人出現，我也不能因爲他而得回我的心跳。』

胚胎的表情憂傷，它爲蒙娜麗莎心痛。

蒙娜麗莎對胚胎說：『你知道嗎？你的父親很棒呢！是全世界最棒的人，他給我生命，而我從他身上得到力量之後，又給了你生命。』

說起達文西，蒙娜麗莎便一臉晶亮。

『他最棒、最聰明、最受人崇敬、最大膽創新、最永垂不朽……他最懂得愛我。』

蒙娜麗莎以旖旎的笑容來懷念她愛過的男人。『是不是因爲他是無可挑剔的好，所以我才能活起來，然後擁有心跳？』

蒙娜麗莎溜了溜眼珠，又說：『那個白痴肥仔完全表現不出他的優點，所以就不能迷倒我呀！』

胚胎把眼睛瞪得大大，用力地點頭。

蒙娜麗莎也把眼睛瞪大，這樣說：『單單被我虐待，只能製造刺激，不能構成心跳。』

胚胎攤攤手，然後又自轉了一圈。

蒙娜麗莎忽然笑起來。『但虐待他滿好玩呢！不失爲一種娛樂！』

胚胎兩手拋動瓶中水泡，像個詼諧雜技小丑。

蒙娜麗莎笑得很高興。『你說，好不好幫助那白痴肥仔，讓我好好愛上他？』

胚胎自得其樂，在瓶中倒立。

蒙娜麗莎聳聳肩。『而且，這個男人是許配給我的人，他與其他我偶遇上的男人不一樣。或許，我應該給他一個機會，幫助他，也幫忙自己。讓我愛上他，讓他得到我的愛情……』

胚胎玩厭了倒立之後，又用臍帶玩吊頸，玩得舌頭也伸了出來。

想著想著，蒙娜麗莎卻忽然皺眉。『但為甚麼我要幫他？那個白痴肥仔也只不過想利用我來投胎到一戶好人家去！他不是真心盼望愛上我！』

既然如此，蒙娜麗莎就忿忿不平了。『對，我才不要幫他！我要繼續虐待他！不為心跳，只為娛樂！』

決定了之後，她就伸出十隻指頭，做出鬼爪的動作。她猙獰地說：『看看我如何把你趕入最深層的地獄！』

胚胎裝出斷氣的樣子，小小舌頭伸得很長很長。

『哈哈哈哈哈！』蒙娜麗莎笑得人仰馬翻。

她伸出雙手的手掌放到眼前，自顧自說：『作為一名沒掌紋的女人，盼求甚麼愛情呢？得不到便算吧，無謂勉強自己勉強別人。』

蒙娜麗莎的手心又白又滑，並無綫和紋。說到底，她從來不是個完整的女人。

『我是不是太貪心？我會行會走，會跳動會作樂……我只不過得不到愛情……』

她以手掩臉，語調含糊地說：『我得不到愛情……得不到心跳……得不到掌紋……』

繼而就逐一數下去：『我不會大小便、無汗臭只有顏料氣味……我無月經不可以生孩子……』

『我的腦袋內只有顏料……我的血液由紅色顏料調製出來……』

最後，她說：『我在世上的唯一歸宿就是羅浮宮內的那張畫框……』

把手由臉上挪下，她凝視掌心中的潔淨無瑕。『我是一個舉世知名備受推崇但一無所有的女人……』

說罷，她就自嘲地笑起來，覺得自己實在太滑稽。

『算了吧，我不求愛情了！』

她望向胚胎，這樣說：『我不會向白痴肥仔尋求愛情，我轉而向他尋求娛樂！』

胚胎屈曲身體，忙於咬噬自己的腳趾。

『橫豎男人都是玩具！』她聳聳肩，表現得毫不在意。

『純粹的虐待，快樂便會更純粹。』蒙娜麗莎笑起來。『我快成了施虐大師了！哈哈哈！』

從窗口的鐵枝中望去，剛好看見一顆流星在天際劃過，五百年前，達文西也常常與他的畫中美女倚窗觀星。

流星撥動了心坎中的淒酸。口中說著不再盼求愛情，但到底還是心有不甘。無理由愛過一次，便永生永世不能再愛。

蒙娜麗莎的神情就複雜起來，難過、愁苦、不甘心、傷感、陰霾共冶一爐。

她深呼吸，霍地站起來，俐落地捧起玻璃瓶子轉身便走，步伐大而富重量。

她一定要把對亨利八世的虐待升級，也一定要更精彩絕倫。皆因這已變成純粹的樂趣。

她鄙夷得不得了。『說甚麼愛我？不過是在利用我……』

＊　＊　＊

亨利八世在迷糊中醒來，發現自己正坐在一張木椅上。眼前景物重疊又搖擺，只見這空間一片深棕色，地板、牆壁、天花板全部是同一色調同一質料。房間的門被推開，走進兩個女人，其中一人是蒙娜麗莎，另外一個，他霎時想不起名字，但覺似曾相識。

兩個女人跪下來，替他脫下原本的鞋子，準備換上另一雙，他垂眼看著她們的舉動，滿心的不好意思。蒙娜麗莎把他原本穿著的那種刺繡方頭鞋拋擲到牆角，而另一個女人則抬起頭來望著他。這個女人的皮膚很白，然而略帶浮腫鬆弛，眼睛細小，眼珠灰藍，鼻子細細扁扁的，嘴唇也同樣薄而細小。她有種青春不復的遲暮感覺，然而年齡看來也只不過是三十來歲。她用一種冷淡漠然的目光望進亨利八世的眼睛內。亨利八世在心中『啊』了一聲，她這種欠缺感情的目光，喚回了他一點點的記憶。

女人看了他一回，又垂下頭去努力爲他穿上鞋子，亨利八世猛地搖晃腦袋，試圖理解這兩個女人的勾當。腳掌有種壓迫的腫痛，感覺怪異。他從兩個女人的身影之間望進去，看到她們正爲他穿上一雙怪誕的鞋子。

『穿好了！』蒙娜麗莎向後退了一步，然後與另一個女人雙雙站起來。亨利八世也試圖站起身，但腳下所穿的那雙鞋子實在奇特，根本令人無法穩步站立。

那是一雙配有九吋鞋跟的黑色皮鞋，那九吋高的鞋跟又長又細，而鞋頭部分則做成芭蕾舞鞋那樣，鞋身以密集的繩子縛上，使之看來有點像靴子。

『怪鞋……』亨利八世唸唸有詞。也因爲這雙鞋子，動彈不得。

蒙娜麗莎扠腰站在他跟前，說：『這是一雙被虐者所穿的鞋子。』

亨利八世抬頭望向她，爲她那如世界支配者的神情暗暗喝采。她喜歡虐待他，他又不介意被她虐待，正好配成一對。

他聳聳肩。『來吧！再多也受得起。』是的，還有甚麼他沒經歷過？他笑著說：『我就是喜歡你令我興奮！』

蒙娜麗莎沒被他的囂張激怒，她只是揚起一邊嘴角，似笑非笑；而那另一個女人，則把雙手扣在腰前，姿態謙和但表情冰冷。

亨利八世望望蒙娜麗莎又望望旁邊的女人，瞬間，他忽然恍然大悟。

『凱撒琳……』他啞然。名字爲凱撒琳Catherine Parr的女人朝他冷冷一笑。

蒙娜麗莎說：『記起了你的第六任王后？』

亨利八世笑意盈盈的。『眞是差點就忘了。』

凱撒琳貫徹她的冷淡，如是說：『忘掉我一點也不出奇，你根本沒愛過我，從來你只把我看成保姆與看護。』

亨利八世不認同。『凱撒琳，我一直感激你的賢慧。』

凱撒琳揚起一邊眉毛，譏諷地說：『賢慧？你是指我日夜替你抹尿，忍受你的痴肥和體臭？』

說罷，凱撒琳霍地轉身朝大門走去，蒙娜麗莎瞪了亨利八世一眼，也跟著凱撒琳一起走。

亨利八世無言以對，他與凱撒琳的關係確實就是止於她所說的。

他看來也狀甚輕鬆。已身經百戰了，還有甚麼創痛會受不了？他望向自己腳上的那雙受虐者專用鞋子，只覺一切都是小兒科。他早已豁出去。

不久，兩個女人從房門外推來一個大木架，架上放了一張鋪上白布的畫作。當白布被拉下來之後，亨利八世看到一個奇異的人物畫像。那是一個年約八、九歲的無臂小孩，分不出男或女，他的左右兩條手臂空空如也。他穿著女士慣用的綁繩內衣，但因下身是一條短裙，因此看不出性別。裸露的肩膀左右兩邊切口整齊，那部位的皮膚光亮白滑。小孩的五官有種男兒氣概，卻又戴上紅色假髮。腳上穿著一雙類近亨利八世所穿的受虐者鞋子，但因爲這是小孩的尺碼，鞋跟只有五吋高。設計方面比起亨利八世所穿的那雙更複雜精巧，除了鞋頭像芭蕾舞鞋外，鞋身更是靴形設計，上百個小洞被皮繩串連綑縛，受刑的況味更突出。

這樣子的畫像令人不安，但亨利八世仍然懷著一副大無畏精神，他嘻皮笑臉地說：『幹嗎？這算是甚麼玩意？要我變回小孩，繼而易服，然後再斬去雙臂？』

蒙娜麗莎含笑問：『可以嗎？』

亨利八世天不怕地不怕：『還有甚麼痛楚再可以難得倒我？』他看上去甚至是興致勃勃的。

蒙娜麗莎牢牢地望著他，咧齒而笑。

她實在笑得太燦爛，看著看著，亨利八世就心神不安。

這種過分美好的笑容，帶著一種詭異，似乎合該有事。亨利八世的表情垮了下來，心情亦瞬間降溫。

原來恐懼還未有盡，他後悔高估了自己。

他聽見喉嚨卡下口沫的聲音，繼而，他看著蒙娜麗莎和凱撒琳分別朝右左兩邊走去，在左右牆上各有一道門，兩個女人同時候開門離開。

亨利八世屏息靜氣，趁房中無人，嘗試站起來逃生。但腳上那雙九吋高的怪異鞋子無法支撐他三百磅重的身形，他扶著木椅，嘗試了三次也不成功。他像個超重超齡的芭蕾舞學生，苦苦學習使用芭蕾舞鞋那樣。

連站也站不穩，更遑論逃出生天，今次看來又是死路一條。

然後，左右牆上的門同時候開啓，兩個女人各自帶來了其他東西。

亨利八世首先朝蒙娜麗莎看去，發現她的手中捧著一個泡浸著胚胎標本的玻璃瓶。

『胚胎標本……』禁不住心生一寒。

接著，他朝另一邊望去，看到凱撒琳牽著一名身披大斗篷的小男孩，而這名皮膚雪白、五官雅致的小男孩，實在倡地熟悉。

亨利八世定睛望著他，看得皺眉。

小男孩被凱撒琳按著肩膀，他隔著約十呎的距離，輕輕地向著亨利八世說：『父王。』

亨利八世瞳孔放大，頓時目瞪口呆。終於記起來了。

這名漂亮的小男孩，就是亨利八世的獨子，愛德華六世，他在九歲之齡登基，十五歲病逝。

凱撒琳脫去愛德華身上的大斗篷，然後亨利八世就看見，愛兒身上穿著女性的綁繩束腹內衣，而腳上正是一雙受虐者靴子。他與畫像中的小孩相差無幾，只差在少了一頭紅色假髮，以及多了一雙手臂。

愛德華以渙散無神的目光望著亨利八世。忽然亨利八世靈光一閃，接著便高聲大叫：『你們休想傷害我的兒子！』

終於，他意會得到這次虐待的真正內容。

兩個女人沒理會他，凱撒琳從牆邊拿來木椅和繩子，把毫無反抗欲望的愛德華縛在椅子上。而蒙娜麗莎則推來一張小茶几，把原先捧在心胸上的玻璃瓶子小心翼翼放於上。

行動完畢之後，她就轉過身來面向亨利八世。『沒甚麼，我的兒子想唱歌給你聽。』

亨利八世心知不妙，他意圖站起來，但當雙腿一用力，整個人卻跌倒地上。他在地上爬行，爬到蒙娜麗莎的腳前哀求：『求你放過我的兒子……』

愛德華神情呆滯，凱撒琳則一臉嚴肅。房間中，似乎只有蒙娜麗莎一人懷有清晰的好心情。

『我兒的歌喉不錯。』她對亨利八世說。

亨利八世望向茶几上的胚胎標本，一臉苦痛無奈。這一個女人，加上這樣一個胚胎標本，還會有甚麼好事情？

蒙娜麗莎便說：『幹嘛哭喪似的？我請你聽演唱會呀！』

玻璃瓶中的胚胎張大無嘴唇的嘴巴，開始發聲：『啊呀……』

蒙娜麗莎蹲坐到亨利八世跟前，捉著他的雙手，四手一起作出拍掌狀。『掌聲鼓勵！』

亨利八世痛苦地翻起白眼。

胚胎唱起來：『il n'est que brigadier…』

胚胎以女高音的高亢音域唱出歌劇。

蒙娜麗莎向大家翻譯歌詞：『他只是一名低級小兵。』

亨利八世的神情怔住了，不懂得反應。

胚胎氣勢如虹地唱下去：『mais c'e st assez pour une boh'emienne...』

蒙娜麗莎情深款款地說：『但對一名吉卜賽女郎來說倒已足夠。』

『et Je daigne m'en Contenter !』

『我俯允自己由他身上得到快樂！』

蒙娜麗莎與胚胎同樣表情十足。胚胎更亢奮得血管乍現在半透明的皮膚中。

亨利八世張大了嘴巴，卻又完全說不出話來。

胚胎轉換了手勢，它雙手合攏，神情更加激動，它唱：『Carmen...』

居然由女聲轉變爲男聲。男高音在唱：『Je suis comme un homme ivre...』

蒙娜麗莎同樣的激動：『卡門！我就像一個宿醉的男人……』然後，她急忙地說：『我兒是個陰陽人！』

亨利八世愕然又欲哭無淚。實在無法相信跟前眼看耳聞的一切。

『Si Je cède, Si je me livre...』

『如果我投降，就等於放棄……』

男高音激昂地唱：『ta promesse, tu la tiendras...』

蒙娜麗莎激動地雙手按在心房上。『你會否堅守你的承諾？』

男高音淒厲又情深：『Ah! Si je t'aime, Carmen, tu m'aimeras?』

『呀！如果我愛你，卡門，你會否愛我？』

胚胎再次把左手按在心房上，右手向橫伸出。

『Oui…』它又變回女高音的聲音。『Nous…』

『夠了夠了！』亨利八世叫嚷，打斷蒙娜麗莎與胚胎的興致。

『夠了嗎？不要再聽一次嗎？』蒙娜麗莎眨動神情無知可人的眼睛。胚胎泡浸在瓶子中，也眼睜睜地望向亨利八世。明顯地，這兩母子意猶未盡。

亨利八世說：『我只想求你放過我的兒子。』

蒙娜麗莎卻撇著嘴望著他，這樣說：『讓你聽我的胚胎唱歌，不外是想你知道他有多可愛精靈、了不起！』

亨利八世被迫附和。『對……陰陽胚胎的確了不起……』

『你也這樣認爲嗎？』蒙娜麗莎的表情乍驚乍喜。『這樣子……』

亨利八世無可奈何地等待她說下去。然後，她就說：『那麼，以我的兒子代替你兒子吧！』

『甚麼！』亨利八世高聲尖叫。

蒙娜麗莎一副理所當然：『既然你愛我，我的兒子自然也會是你的兒子……至於你的兒子嘛，我會把他的臂膀鋸掉下來，給他穿上ＳＭ的裝束，讓他永世當上我們的性奴！』

『不！不！』亨利八世急忙撲前抱著愛德華的雙腿，驚惶地高呼：『不！』

蒙娜麗莎還要說下去：『九歲有九歲的可愛，十歲有十歲的樂趣……鋸掉雙臂，就更符合殘缺玩偶的守則。』蒙娜麗莎伸手輕撫亨利八世的臉龐，說：『我沒告訴你，我對著殘缺的人特別容易興奮的嗎？』她的確一臉憧憬：『切口完美的肩膀，滑溜如同最精美的瓷器……簡直令人愛不釋手！』

亨利八世絕望地望向蒙娜麗莎，悲痛地懇求：『你可以隨便虐待我，但請你別傷害我的兒子……』

蒙娜麗莎拍動長長的睫毛，精靈嬌美地說：『你以爲你是誰？你認爲你有權與我討價還價嗎？』

亨利八世把臉靠向兒子的腳畔，淒然下淚。

蒙娜麗莎有那高高在上的姿態。『從來，這都是一個我控制你、你受我控制的遊戲！』她把眼珠溜向亨利八世腳上那雙受虐者九吋高跟鞋，然後這樣說：『你知道嗎？你所承受的根本不外如是。無身分無地位、只能受控無法自主的人多的是。你看古時那些中國女人，三吋金蓮腳掌畸形扭曲，她們一生將要受的苦，直接反映在一雙小足之上。而我，只是給你穿一雙九吋高跟鞋，以及……』

亨利八世含淚望向蒙娜麗莎。

蒙娜麗莎看見他淚眼朦朧，就笑了笑。『以及，要你的兒子的一雙手臂。』

『不！』亨利八世狂叫：『不！不！不！』他抱著愛德華的雙腿不放。

蒙娜麗莎皺起眉，一臉厭惡、鄙夷。凱撒琳從衣袋中掏出一支電棒，向爬在地上的亨利八世插下去，立刻，肥大的他就應聲倒地。

蒙娜麗莎與凱撒琳合力把亨利八世扶到他的木椅之上，讓他與愛德華隔著十呎距離面對面端坐。愛德華木無表情，呆滯遲鈍，而亨利八世則處於半昏迷狀態。在這個空間內，這兩父子也命有不測。

凱撒琳拿來繩子，蒙娜麗莎起初接過來，想了一回之後，卻又把繩拋下。她想出了鬼主意。

『常常用繩太悶。』她對凱撒琳說。『你試過挑手筋沒有？』

『手筋？』凱撒琳反問。

『不如這樣，』蒙娜麗莎帶笑說：『我們挑出他的手筋，接著用他的手筋縛著他的雙手好嗎？』

這種提議令凱撒琳也驚訝不已。『手筋，聽上去……』

『很夠原創性吧！我們創造了最駭人的ＳＭ綑縛大法！哈哈哈哈！』蒙娜麗莎樂不可支。

『就是這種殘忍變態，讓我一想起便渾身興奮！』她環抱自己的身體，狀甚陶醉。『刺激精彩！花樣層出不窮！』她伸出手臂指向亨利八世。『這個男人，就是我最深愛的玩具！』

說罷，更哈哈哈哈地仰天長嘯。遊戲未開始，就已經瘋狂了。

凱撒琳問她：『殿下，聽說你是來尋回心跳的……』

蒙娜麗莎收斂笑聲，一副無所謂的樣子。『心跳？愛情？我早已超脫了它。現在，我只一心志在尋開心！』

『啊。』凱撒琳恍然大悟。

蒙娜麗莎友愛地牽起凱撒琳的手，說：『那麼，與我一起盡情開心吧！』

在凱撒琳回報蒙娜麗莎一個溫暖的笑容後，蒙娜麗莎就往放在牆邊的矮櫃走去，再從抽櫃中拿來一把剁刀。

她跪到亨利八世跟前，凱撒琳亦跟著她跪下來，蒙娜麗莎把亨利八世的雙手手心向天，然後把剁刀對準他的手腕。

『我有點緊張，畢竟未試過做這種精細的事。』蒙娜麗莎望了望凱撒琳，帶點膽怯地說。

體貼的第六任王后這樣說：『放心吧，我知道你做甚麼也會成功。』

蒙娜麗莎就舒泰地笑了笑，她望向凱撒琳，感激她的鼓勵。『怪不得亨利八世在生時那樣依賴你。』

凱撒琳非常謙遜：『他也只不過當我是萬能侍婢。』

蒙娜麗莎呼了一口氣，接著就把剁刀的刀尖放到亨利八世的手腕之上。『我實在不知道這位置對不對。』

茶几上的胚胎忽然發出聲音：『啊……呀……』

蒙娜麗莎望向它，它就唱：『One fine day we'll see...』

那是歌劇《蝴蝶夫人》的歌曲。蒙娜麗莎嘆息，『我兒，你總是知道如何穩定我的情緒。』

胚胎悠然自得地唱下去：『A wisp of smoke arising...over the extreme verge of the sea's horizon...』

蒙娜麗莎笑著說：『對呢，我怎會連這種小事也緊張？我的愛人曾經是一流的解剖高手。』

想起了達文西對屍體與解剖的認識，蒙麗莎就得到了鼓舞。剁刀嵌入亨利八世的手腕中，蒙娜麗莎看著那從肌膚滲出的鮮血，驀地就得到了一種良好的感應，就如達文西來臨身上一般的迷人。

割下去吧！這是達文西擅長做的事。

放膽剁下去吧！盡情模仿自己心愛的人。他會做的，她也該會。不要丟他的臉。

蒙娜麗莎微笑，笑容彎彎的、溫婉的、溢滿愛的，猶如天地初開的時候。最初最初，達文西賦予的，就是如此一個微笑。

曾經，她是一個沐浴在愛情中的女子……

心會跳，因著愛情，她活起來了……

『Then the white ship will enter the harbour, will thunder a salute...』

胚胎的歌聲極美妙。

蒙娜麗莎再笑，但覺幸福非常。

剁刀已切入手腕的深層，她與亨利八世都滿手鮮血。

已無任何事情可以難倒她。

割下去吧！達文西準會讚賞她做得好。

凱撒琳替蒙娜麗莎緊握亨利八世的雙手，而亨利八世亦漸漸由痛楚中甦醒。

他張開雙眼，然後看見兩個女人跪在他跟前，而一把剁刀正割開他的右手手腕，那割口已長達三吋，深一吋。血已滴流得一地都是。

蒙娜麗莎正細心研究手腕內的構造，她把手指伸進去，然後勾起一條紅色的東西。『這就是手筋，對不對？』

凱撒琳顯得迷茫。『試試看吧！』

亨利八世模糊地看著她倆在對話。

蒙娜麗莎點了點頭，橫豎一切也沒損失。她俐落地以剁刀割斷那紅色的部分，然後就飛快地拉扯出來。血花四濺。

『對了！』她歡呼。

同一時候，全然甦醒的亨利八世尖聲叫嚷：『呀——』痛得他全身抖震。

凱撒琳站起來摑他一記耳光。『別吵著她做正經事！』

『你們……』亨利八世眼眨淚光。

『I shan't go down to meet him... no, I shall stand here...』胚胎的歌聲真是繞樑三日。

蒙娜麗莎把剁刀向上拉動，輕易就割開了亨利八世的整條前手臂，亨利八世咬著唇，合上眼，以嗚咽代替呼叫。被虐久了，ＥＱ自然高，明知無法制止，唯有訓練自己如何忍受痛楚。

但當蒙娜麗莎把前手臂一整條手筋挑出來之際，亨利八世還是忍不住苦痛尖叫：『呀……呀……』那叫聲是顫震的，痛不欲生。

看著自己的手筋半吊在手腕之下，實在驚心動魄。

凱撒琳忍受不了他的聲音，於是再次站起來賞他兩記耳光。而蒙娜麗莎就以亨利八世的手筋綑縛他的雙手。

她把血淋淋又堅韌的手筋在亨利八世的手腕上縛了好幾圈，亨利八世就承受了一次拉扯的、怪異的、渾身發麻的痛。

忽然，蒙娜麗莎更心生奇想：『下次我們可以試試割他的腳掌塞入他的口；又或是以大腸小腸縛身綑頭！』

她湊近亨利八世的耳畔說：『以自己的器官虐待自己，是否別有一番親切感？』簡直興奮得無以復加。『大概也沒有誰比我更有創意！』

說罷，就哈哈哈地笑起來，對自己的傑作欣賞不已。

凱撒琳圍繞亨利八世轉了一圈，繼而她決定，還是要用繩子綑縛他在椅子上。亨利八世苦痛難當，他一臉淚痕，淒涼地望向他的兒子，然後，這樣說：『我不介意你們挑掉我所有手筋腳筋，但請別傷害愛德華……』他仍然沒放棄保護兒子的心。

蒙娜麗莎把染血的雙手抹在亨利八世的衣服上，告訴他：『你知道嗎？單單虐待你已沒有看頭，再刺激的事，重複太多也會生厭。』她輕拍他的臉龐。『所以要委屈一下令公子。』

『不——』亨利八世猛地搖頭，哭著叫喊。『不——不——』他試圖掙扎雙手，但當稍微用力，就只有痛得更可怖。以手筋綑縛雙手，效果原來真的可以很好。

凱撒琳拿出兩副電鋸與蒙娜麗莎走到愛德華的身旁就位。她從這角度向亨利八世望去，發現了他以合上眼睛的表情嚎哭。蒙娜麗莎想了半晌，再決定了另一件事。

她放下電鋸，走回亨利八世的面前，說：『要虐待你，當然就不可以讓你視而不見。』

亨利八世張開眼睛望向她，霎時間領會不到她的意思。

蒙娜麗莎問：『有甚麼辦法可以令你不得不看？』她抬著下巴，望著他仔細想。驀地，就靈光一閃：『對了，剪去你的眼瞼，那麼你便不能合上眼故意不去看！』

因著這個超棒的念頭，蒙娜麗莎開懷大笑。『哈哈哈哈哈！』

凱撒琳也陪笑。『哈哈哈！』

就連亨利八世也笑了，他失神地望向前方，晦暗不明地笑了兩聲。『嘻，嘻。』

兩個女人的笑聲太高亢，蓋掩了亨利八世的聲音，無人聽得見，大概也無人會明白，爲甚麼他還要笑。

是有感付出得太多嗎？還是忽然察覺得到事情的荒謬？

蒙娜麗莎已培養出瘋狂的情緒，她在胚胎的歌聲中逕自起舞。『When he arrives, what, what will he say? He'l call "butterfly" from the distance...』她要讓自己高興、超級超級的高興。要不然，一切都只是浪費，浪費了亨利八世的血與驚惶；浪費了自己的一番創意和精力。

心跳不能來，興奮該會降臨吧！她就是不相信，她甚麼也得不到。

蒙娜麗莎才不會容許『失望』成爲她的朋友。

她俯身拾起剛才棄置地上的剁刀，她持刀在亨利八世眼前晃動，讓染血的刀邊營造出恐怖的氣氛。果然，亨利八世的瞳孔內掠過一抹心寒的光芒。

亦實踐了這句至理名言：恐怖，是無盡的；驚慄，可以擴展到無限遠。

蒙娜麗莎對亨利八世說：『別怪我，一切都是得你配合，我們才有今天。』

亨利八世含淚苦笑。

『是你願意爲我受苦受難，爲求達成你的心願。』

亨利八世無奈地搖晃頭顱。他合上了眼睛。

凱撒琳見狀，就以雙手穩定他的臉，蒙娜麗莎把剁刀的尖端按在他左邊的眼瞼上，她說：

『你既然無底線，我亦一樣。』說過後，剁刀就沿著眉下眼窩的位置割開。她的手勢熟練如女士塗眼影那樣，順滑地剁出一條弧道的傷口，因爲剁得好，只須輕輕一拉眼瞼，這一小片皮膚連肌肉，就從眼窩的位置脫落，甚至無須拉扯。

左眼的眼球就完全地暴露於空氣中，無任何阻擋覆蓋。

其實不算太痛，割開了的位置才不過兩吋。亨利八世左眼的眼球依然靈活，只是，眼前的景物，都被添上一層血紅色。而血水流滿左邊面龐，構成一幅淒厲的畫面。

他就以無遮無掩的左眼觀看蒙娜麗莎如何割掉他的右眼眼瞼。有一刻，他忽然覺得自己只是一具有知覺的屍體。

蒙娜麗莎的手勢依舊良好，右眼眼瞼很快就被完美地割出來。亨利八世的一雙眼球又圓又大，血水如瀑布瀉下，滾動在眼球四周，又流滿整張臉龐。這雙如乒乓球般圓大的眼球，讓恐怖的一張臉加添了滑稽感。

蒙娜麗莎端詳他的容貌。『依然英俊啊！』她居然試圖令他放心。

『你知道嗎？待會的表演是絕頂好看，我割掉你的眼瞼，以便你不會錯過當中的一分一秒。』

蒙娜麗莎帶笑說：『那表演爲你精心炮製，你要是合上眼，就等於不禮貌。看，現在不是挺好嗎？』

亨利八世看著她抹去手上的血，又輕鬆地掠長髮，然後他就想，無論再在他身上發生些甚麼，都已不重要了。

要割甚麼，要切掉甚麼，要怎樣放血，都只是雞皮蒜毛的事。

他意識得到，自己死一千次也仍然活過來，他不會死亡，他只會得到痛楚。而他的苦痛能叫這個女人開心。事情不過簡單至此。由始至終，他都擔當一個玩偶的角色，不停不停地被虐待，到頭來每一次他又會完好無缺，以便留待下一回的重新虐待。

所以，甚麼都不用怕。連死亡也對他避之則吉，還有甚麼可以叫他驚怕？

打不死、痛不死。他的存在目的只爲這個女人提供噁心、可怖、詭異、變態、不正常、令人難以理解的娛樂。

而他一直認爲，只要這個女人從他身上尋求得到滿足，他就功德圓滿，如願以償。

他以不能眨動、絕對地眼睜睜的大眼睛望向這個女人，看著她伸臂扭腰舒展筋骨，每一個動作看在他眼裡，都那麼賞心悅目。他明白，他不可能惱恨她，沒辦法憎她，他是注定迷戀她。

他實在樂意爲她提供所有樂趣，但是……

蒙娜麗莎與凱撒琳已各就各位，吃力地提起沉重的電鋸。電鋸發出急速的齒輪旋轉聲，嘈吵又可怕，但夾在兩個女人中間的愛德華完全無反應，由始至終，他都對身邊發生的所有事情無知覺。

這個被換上女性內衣裝束、腳踏受虐者靴子的小男孩，是頭將被宰割的羔羊。他的目光無焦點，魂魄不全。

亨利八世望著兒子，漸漸，他的臉就垮了下來。不因爲痛楚，也不因爲恐懼，而是，他知道這是萬萬不能發生的事。

不可以……不可以……

凱撒琳的氣力比較好，她一手就舉起了電鋸，蒙娜麗莎把電鋸抬到腰旁的位置，但不到兩秒，又累極垂下臂彎來。

亨利八世看著看著，就心生一念。不可以……不可以……不可以傷害我的兒子……

你們可以任意傷害我，但這遊戲根本與我的兒子無關……

我是爲了愛情所以答應讓你虐待，但我從沒答應你可以動我兒子一根毛髮……

對了，我並無答應……

『對了，我該制止。』亨利八世說出口的是這一句。

蒙娜麗莎深呼吸，出動全身力量再次抬起電鋸。她與凱撒琳互望一眼，就對亨利八世說：『看，表演要開始了！』

立刻，亨利八世反抗：『不！你無權這樣做！』

蒙娜麗莎一怔，亨利八世的語氣從無如此強硬過。正當她要出口教訓他之際，亨利八世卻作出了令人非常訝異的舉動——

他把雙手放到面前，張開口用力咬下去。

『甚麼……』蒙娜麗莎呢喃。

亨利八世出盡氣力咬下綑縛在手腕上的手筋。

每一口都那麼痛，每一口都驚心……

但手再痛，也及不上從心中湧出的焦慮那樣叫人苦痛，他甚麼都可以犧牲，就是不能犧牲兒子。

然而手筋是那樣堅韌的東西，整條手臂都痛得發麻了，臉孔也因太強力的咬扯而肌肉僵硬。

咬呀咬呀咬……咬斷自己的手筋，撲出去拯救兒子，兒子就能活命……

蒙娜麗莎歎爲觀止。『簡直始料不及……』

亨利八世把巨大的眼球溜向上望著她，蒙娜麗莎就從這雙染血眼球內看見跳躍的火光。

亨利八世對她說：『有我在，你不會得逞！』

蒙娜麗莎愕然地張大口。

『這個男人……』她完全不能相信耳聞目睹的這件事。

而亨利八世的手筋，就在亨利八世的齒縫間斷開。

然後，他鬆開雙手，敏捷地彎下身，飛快地解開受虐者鞋子上的縛繩。一切動作做得流利俐落，沒半點以往的溫吞。

——因爲反叛的一念，這個男人就變成另外一個人。

蒙娜麗莎與凱撒琳都怔怔的，而奇異地，她們發現了，她們的手腳動彈不得。

蒙娜麗莎意圖踏步向前，動不得；凱撒琳本想提臂，但肌肉不聽指揮。

蒙娜麗莎輕輕皺了眉，而凱撒琳則不知所措。不祥感彌漫在這兩個女人的四周。

就在她倆交換眼色之時，她們甚至察覺到時空亦被拖慢了；本來只須眼珠一溜的神態，卻如慢鏡頭重播那樣，歷時了好幾十秒。

一個互望眼神，要出盡力氣才能完成。兩個女人都心知此次大事不妙。

蒙娜麗莎暗忖，居然連時空亦偏幫亨利八世，他得到了時間的優勢。

亨利八世成功脫掉了鞋子，繼而氣宇軒昂地站立，他的大眼珠釋放出怒意，他向前走的腳步是那樣堅定。

奇異的事情就來了，他每向前走一步，牆壁、地板、天花板也隨同他的腳步震動；當他與她們的距離縮短了一半之後，這間棕色的木質房子更開始如蠟熔化。

冒泡、冒煙，就如遇熱的棉花糖那樣逐漸融化敗落瓦解。

凱撒琳驚惶起來，她出盡全身氣力歇斯底里地大叫：『呀——』繼而，她集中了所有的意志力，把捧在手的電鋸伸前。『呀——』她成功了，電鋸的確伸前了，然而氣力和意志消耗得太盡，腦內驀地轟然。

『呀——』血水由雙眼的眼角溢出，流下了血的眼淚。凱撒琳的腦袋爆了血管。

亨利八世已走到她面前，凱撒琳再拚死把電鋸一伸，然而動作相對地僵硬遲緩的她，輕易就被亨利八世側身擋開。當她意圖再進攻之際，亨利八世反過來搶走了她的電鋸，他二話不說，就把電鋸提起，擱到她頸項旁的位置。

蒙娜麗莎如蠟像般佇立，她目睹了一切，但無力量阻止，她甚至改變不了自己的表情。心中的所有愕然、驚異、始料不及，全部流露在一雙眼睛之內。實在無法置信。

也是自遊走人間以來，蒙娜麗莎首次處於劣勢。

亨利八世與凱撒琳對望，他說：『爲了保護我的兒子，我甚麼都做得出！』

說罷，電鋸就切入凱撒琳的頸項，皮綻肉破、血肉橫飛、骨頭碎裂。

『一、二、三……』臨死的凱撒琳只能在心中作三秒的倒數。

隨著頭顱飛墮地上的一剎那，房間亦以極速溶掉，地板變成浮動的流質，亨利八世、身首異處的凱撒琳、愛德華以及蒙娜麗莎，一併陷入其中。

在被房間吞沒的最後一秒間，蒙娜麗莎萌生這個念頭：遊戲，已轉了另一種玩法。

＊　＊　＊

蒙娜麗莎端坐在一間長滿鐵鏽跡的鐵皮屋之內，她的深綠色絲絨沙發座椅放置在一座被棄置、荒廢了的火爐前，火爐內鋪滿陳年死灰。她的坐姿優雅一如自己的畫像，那兩手交疊的姿勢，舒泰又自在。

亨利八世步進生銹鐵皮屋中，他倆四目交投之後，他便坐到蒙娜麗莎對面的高背靠黑色皮椅子之內。在他們中間的位置放置了一個小茶几，茶几上有兩杯冰淇淋，顏色一啡一白。

蒙娜麗莎親切地招呼他：『香草味道、巧克力味道，你挑哪一款？』

亨利八世客氣地說：『香草味似乎較熟悉。』

蒙娜麗莎做出一個『請便』的手勢，亨利八世便捧起冰淇淋品嘗。軟軟的、冰冰的、齒頰留香。

蒙娜麗莎說：『雖然心跳沒有出現，但我滿欣賞你。』

亨利八世吃得津津有味。『那是自發性的行爲，我抵受不了傷及無辜。』

蒙娜麗莎微笑：『你知道嗎？你的行徑甚具男子氣概。』

亨利八世從冰淇淋中抬起眼來，剛巧看到蒙娜麗莎的笑容如鮮花綻放，不期然的，他的心就如冰淇淋那樣融化。

在等愛、被虐的過程中，他無非是想得到她這種出其不意的笑容。

他望著她，傻傻的、怔怔的、滿載愛意的。

蒙娜麗莎沒吝嗇她的溫柔甜美，那朵笑靨之花一直盛放。她說：『你改變了這遊戲，我已不能繼續虐待你。』

亨利八世放下冰淇淋杯，緊張地說：『不！你依然有至高無上的權力，我容許你繼續置我於死地！只是，剛才那一幕的主角，是我兒子……』

忽然，蒙娜麗莎不再笑，鮮花凋謝在哀愁中。她說：『因爲你懂得反抗，所以你不再是我的玩弄之物。所謂奴隸，是那些絕對低下、絕對無能力抗衡權力的人。』

亨利八世哀求她：『但我依然自覺是你的奴隸！我亦甘心一生一世做你的玩物！』

蒙娜麗莎苦笑。『我怎能再視你爲玩物？我已對你衍生尊重之心。』她又搖了搖頭：『況且，你與我沒有一生一世，我們只得一個秋季。』

說罷，生鏽鐵皮屋的屋頂，就飄散下片片黃葉。

蒙娜麗莎說：『對不起，我倆都無法願望成眞。』她垂下眼，繼而就落下淚來。

亨利八世緊張極了，他趨前握著她的手。『不！我會努力使你擁有心跳！』

蒙娜麗莎輕輕再次搖頭。『這數百年來，迷上我的男人不計其數，而戀愛的方式我亦統統試過，到如今我才發現，就算是ＳＭ，也只能得到刺激與亢奮，卻無法使之轉化爲愛意。』她把手掌反出來讓他看。『看到吧，我是個沒有掌紋的女人，你對我所做出的一切犧牲，都只會是徒然。』

一滴眼淚由她的眼眶掉進空白無紋的手心中，氣氛淒然。

亨利八世心痛，他試圖安慰：『你喜歡的話就繼續虐待我吧！就當是爲著尋開心！我想你知道，就算被你剝皮拆骨，也是件心曠神怡的事。』

蒙娜麗莎感激地笑了笑，沒有回話。

還可以再說甚麼？又一次的嘗試失敗，心跳根本不會重來。她輕輕嘆了口氣。

『眞的，我不會再虐待你，你表露出的勇氣、果敢、保護至愛的人的決心，這一切都叫我發自心底敬重。我如何可以對一名我欣賞的男人下手？』

亨利八世苦苦地說：『我只是因爲愛你才反抗你……我要你明白，你那一刻的行動，是極其錯誤的！』

蒙娜麗莎溫柔地告訴他：『以往我可以那樣盡情，皆因我視你如廢物；而你，一直以來也表現得似個廢物。』她婉約地作出結論：『對不起，我們無法繼續下去，這都只因你表露了你潛藏的優秀。』她嘆了口氣：『也多虧你提醒我，我的行徑實在越界得過分。』

亨利八世被拒絕繼續成爲受虐者，內心戚戚然。

蒙娜麗莎好言相向：『我們還是各走各路。我尋找我的心跳，你想辦法令你的戀愛成功，重新投胎。』

亨利八世捨不得分離。『不！我對你動的是眞情！』

『別傻！』她輕拍他的臉龐。『你愛上我是一種詛咒，而且帶著目的。』

『不……』亨利八世不住搖頭，但又不知從何解釋，他只能重複說著：『我對你是眞心的！』

蒙娜麗莎深深地望進亨利八世的眼眸中，隱隱地，她的心悸動。連忙就把手心按在心房上，合上眼睛，誠心地等待。

一、二、三……溫溫暖、軟綿綿，無奈依然空空洞。

當重新張開雙眼之後，她就說：『我們分手吧，完了。』

『不！』亨利八世頑抗她的主意：『我不分手！』

『秋已將盡了。』蒙娜麗莎環顧四周落葉。

『秋還未盡！』亨利八世霍地站起來，發狂地踢地上的落葉。

『我們遲早也要各走各路。』蒙娜麗莎平和地說。

亨利八世別過臉，望向蒙娜麗莎，悲憤莫名：『縱然只剩下一秒，我也不會放棄與你相聚！』

蒙娜麗莎抬頭朝他望去，半晌之後，思緒就動搖起來。她微笑，然後說：『我從來不會邀請別人享用第二杯冰淇淋，唯獨你例外。』

亨利八世就疑惑地望向茶几上那杯剩下來的巧克力冰淇淋。蒙娜麗莎說下去：『第一杯冰淇淋代表我向你送贈的稱讚；第二杯冰淇淋則是一個微小願望的餽贈。』她輕笑：『讓你品嘗第二杯冰淇淋，皆因我已太久沒遇上一個像你這樣特別的男人，難得，有人如此痴心一片。這杯巧克力冰淇淋，就當是我的小小心意。』

亨利八世聽罷，就急忙坐回座椅內，他堅定地對蒙娜麗莎說：『我們今天不分手！』然後，他捧起冰淇淋，狼吞虎嚥地吃光。

當把冰淇淋杯放回茶几上之後，他又重申：『我們不分手呀！』

蒙娜麗莎深具母性地微笑，並且向他張開臂彎，於是，亨利八世立刻走上前擠進她的沙發內，與她擁抱一起。

亨利八世陶醉得飄飄然，真是想不到有如此幸福的一刻……

蒙娜麗莎在他的耳畔說：『不分手有甚麼事情可以做？我又沒打算再虐待你。』

亨利八世抱著嬌軀，說不出的銷魂，他企圖湊前去親吻蒙娜麗莎，卻被她別過臉避開。『我們可以親親熱嘛！』他一臉笑吟吟。

蒙娜麗莎白他一眼，告訴他：『但我們的程式內並沒有親熱這環節，如若我不虐待你，就只剩下——』

亨利八世的心驀地一寒，他瞪大愕然的眼睛，不會吧……

『相擁做夢。』蒙娜麗莎說下去。

就連反抗的聲音也發不出來，隨即，亨利八世漸次失去知覺，眼皮沉重地垂下，在將睡未睡的一霎，他看見，蒙娜麗莎的神情幽冥陰邪，那雙美麗的眼睛滲透出點點滴滴如寒星般的暗光。

『鬼火……』亨利八世吐出這兩個字，然後他就朦朧地微笑了，他知道他還是喜歡的……受苦受難的時刻又來了！與這個女人一起，唯一可以確定得到的，就是恐怖與痛楚。

以不分手換來噩夢，還是值得的……

大概沒有誰，可以比這個男人更死纏爛打。

＊　＊　＊

夢境中，有一隻很痛苦的黑熊，牠被困在一個連轉身也無可能的鐵籠內，半個頭顱拚命在鐵枝的隙縫中磨呀磨，皮肉都破損了，傷口流膿潰爛，然而夢想中的自由仍舊得不到。猛獸的兇猛已不復見，黑熊赤紅的眼睛裡，全是哀求。

已經三年了，牠在這籠牢中掙扎已三年，甚麼是受虐、甚麼是無自由，看看牠便知道。

黑熊目光內的哀慟加深，牠甚至發出低沉的哀鳴。牠看見，那人又來了，手執鐵管走近籠子。

走前蹲下來的男人有張醜陋的笑臉，唯利是圖的、無血性的。他把鐵管插入黑熊身上一個長年被暴露於空氣中的傷口內，黑熊便開始漫長而悲痛的低叫。這個人正抽取牠身上的膽汁，行徑殘酷但又駕輕就熟。

三年了，黑熊三年來過著的都是這種暗無天日的日子。

膽汁抽取完畢，男人便捧著汁液走開。黑熊累極呆在籠中，因爲長年躺在同一個位置，下身某部分肌肉早已壞死，就算鐵籠被打開來，牠也無法逃生。黑熊細細喘著氣，望向這所簡陋工場的天窗，隨著白雲的移動而輕輕落下淚來。這種受折磨的日子，還要捱多久？眼淚流往嘴邊，牠便舔掉去。牠完全不明白，爲何要誕生世上。

忽然黑熊這樣想，如果自己廢掉了肢體，可能人類就會不再利用牠。對了，山林中那些肢體殘缺的動物，無人類會捉回家飼養；就算是同類，也會因爲一頭動物的殘缺而離棄牠。

只要殘廢了就能夠重獲自由。黑熊眞的這麼想。

於是，黑熊開始咬噬自己的手掌，牠由手腕咬起，咬掉了毛皮，再咬入肉中。很痛很痛，痛得眼淚不住的流，自己咬自己是一種怎樣的感受？悲痛、無奈、迫不得已。

『嗚……』這叫聲，是一種自憐。作爲一頭兇猛動物，誰料到會走到如此田地？

黑熊吞掉自己的血肉，牠要提醒自己，每一口都是活命的可能，愈是殘破不堪，愈有機會得到生路。

吃掉自己來救活自己……吃掉自己來救活自己……

已經把手腕吃了一大片，黑熊嗚咽，痛不欲生。當意圖再在傷口上咬下去之際，一股腥酸由胃部湧上，黑熊垂下頭嘔吐。

滿身都是尚未消化的血肉，黑熊悲從中來，放聲嚎哭。『嗚……嗚……』

『嗚……嗚……緣何……』

『困苦至此……』

黑熊愕然，收起嚎哭的聲音，腦內掠過的說話是：『爲甚麼我會言語？』

猛地俯身一看，就看到穿著衣服的人類四肢與軀體。

『天啊……』

伸出手來，居然完好無缺。

驀地，如夢初醒……

『是我……』亨利八世呢喃。他在籠中試圖掙扎站起，但籠太小，辦不到。『原來被囚困著的是我……』

亨利八世並未因為前一刻化身黑熊而困擾，他雙手抓住鐵枝，高聲呼叫：『放我出來！放我出來！我不該被囚禁！』

無論是熊還是人，他的求生意志都很強。

幽暗中，走出一個男人，他穿著淡藍色的制服。他走到亨利八世的鐵籠前，告訴他：『你有精神病呀！不囚禁你，禁誰？』

亨利八世錯愕地瞪大眼，反問：『我？我沒有精神病呀？』

男人神色嘲弄地說：『你根本就是個精神病人！』

亨利八世無奈又焦慮，他拚命搖頭，堅定地告訴他：『你不明白，這只是一個夢……』

男人沒閒情與他爭辯，他指向亨利八世的臉說：『稍後就會殺你和你全家！免得你把你的病傳播開去！』

『不！』亨利八世猛地搖晃鐵籠：『不！這只是一個夢！』

男人不再理睬他，轉身就走，身影沒入幽暗之中。

亨利八世絕望地把臉擠在兩條鐵枝之間，因再無人相信他的說話而懊惱。沮喪的情緒仍未完，房間內又走來了兩個同樣穿淡藍色制服的男人。不知怎地，這次亨利八世一望而知他們的身分，這兩個男人是護士。

他們打開鐵籠，把亨利八世拉出籠外，然後左右脅持他走出房間。房間外是一條長長的走廊，灰牆灰地，看不到盡頭。左邊是一列空置的監倉，右邊牆上則有一排排闊大的窗，窗外天色很好。

亨利八世一直往前走，愈走，心情就愈好。但覺自由自在的，悠悠的，非常適然。

忽爾，窗外藍天之上飛來一頭很大很大的鷹，足足有十呎之巨，壯觀地於天際盤旋。鷹雄壯又矯捷，毛色亮澤，眼神銳利具華彩。亨利八世從沒看過如此壯美的鷹，是故心情就亢奮起來。他甚至有與身旁左右兩名男護士分享的興致，他先向右邊的男護士說：『看啊！別錯過觀看這頭鷹！』

右邊男護士轉過面來望向亨利八世。就這樣，他全然怔住，然後隨即尖聲大叫：『呀——呀——』

右邊男護士原來只有半張臉，他右邊臉完好無缺，可怖的是，左邊臉被整齊地削走，由頭頂以至下巴一概消失，血管骨骼肌肉，統統在那切割整齊的缺口暴露出來。看起來像個圓椰菜的橫切面圖。

明明懷著心膽欲裂的驚恐，亨利八世卻仍然不由自主地把臉由右邊轉向左邊，不想看，卻無法制止自己觀看。果然，左邊這一個，更加不得了。

『呀——呀——』又再一次尖聲大叫。

左邊護士的臉孔上只有一種器官：眼睛。十多隻眼睛隨意散佈在一張臉之上，並且先後不一地朝亨利八世眨眼。

亨利八世驚訝得說不出話，只能急速地喘氣。

而左右兩名男護士接著有新的動作：他們的頭顱各自三百六十度自轉。

嚇得亨利八世驚呼狂叫：『呀——哇——哇——呀——』

一直叫啊叫，直至身心感受到一股強大的離心力。

『哇——』在連綿驚叫之下，亨利八世發現自己已跌進由地板開啓的斜道中，那斜道又深又直，深不見底。

實在太深了，就在中途，也已放棄了叫喊。如果一直驚叫到底部，肯定力竭聲嘶。

那離心力很重，但覺心臟已被拋離體外。不住的往下滑跌，然後，亨利八世看見微弱的光線，一點一點的，有如海中船上的漁火。

終於也滑到底部了，斜道的盡頭是一條闊大的黑色的河，河上滿是由木頭結紮而成的木筏。每一隻木筏上坐著三、五個人，由一個船夫撐著往前駛，木筏的方向不一，但各自吊著一盞燈。

亨利八世跌在一艘載有三人的木筏之上，輕盈的、無聲的、低調的。

亨利八世舒了口氣，又伸出手袖抹去額上的汗。正感安全舒泰之際，他又察覺到，每艘木筏之上都凌空飄浮著一具大包裹。

包裹約有四呎長四呎闊，以粗糙的紙張和繩索包紮著。包裹跟著木筏前進，節奏安穩，不快不慢。

亨利八世環顧四周，開始察覺氣氛有異。這飄滿木筏的黑河，並不如他以爲的那樣和諧平安，每一艘木筏上總有一個人要站起來把半空的包裹拆開，而這些拆包裹的人，在燈火的映照下，都面露恐懼之色。

他們伸出顫動的手臂，臉上神色蒼白而悲傷，就在把包裹拆開來的一刻，神情統統轉變爲恐懼。

亨利八世看不清楚那些包裹內的東西，只知道，肯定不會是好東西。

他坐在木筏上，儘量裝出事不關己，就連觀看別人的動靜，都帶著偷窺之態。心想，只要自己不是拆包裹的人，就可以置身事外。

誰料，同一艘木筏上有人這樣說：『別裝蒜了！還不站起來拆包裹？』

亨利八世裝模作樣地望左望右。立刻，就有人高聲說：『還裝！快站起來！』

『要不然全船人都會掉進黑河！』另外一人又說。

於是，亨利八世就帶著不情不願、非常無奈、迫不得已的心情站起來。他以一個極緩慢的動作向著半空伸出手臂；再以一個等待受刑的悲痛感覺觸碰包裹；最後，他用迎接死亡那種惶恐、陌生、緊張、孤獨的心情把繩索鬆開，然後……

從紙張的隙縫中，他看見了些甚麼。

屏息靜氣，他眼也不眨地試圖看清楚。

他把臉向上仰去……

『啪——』從包裹內跌出了一樣東西。

還未碰到他的臉，他就已經開始尖叫：『哇——呀——』

那是一隻腐爛發臭的手。而亨利八世認得出，那是他自己的手。

『哇——哇——不要——不要——』

包裹內，原來是自己的屍體，屈屈曲曲的，被摺疊收藏。

亨利八世不住驚叫：『哇——哇——哇——』

『我不要！不要！不要！』

他慌張得雙腿麻痺僵硬，他無法面對這個飄浮半空、早已身亡、被包紮著的自己。

『不……不……』他拚命搖頭，喃喃自語：『這不過……這不過……是一個夢……』

黑河上漁火點點，他但覺已魂離體外。

太恐怖了，遇上死去又被包紮了的自己……

『不要……不要……不要……』他仍在抗拒。

然後，忽爾黑河上的木筏都加快了速度前進，亨利八世的腳步不穩，就跌倒下來，卻又怎麼跌，也跌不到在木筏之上……

繼而，心一寒，他就失去了知覺……

重新張開眼來之後，他發現正置身一間畫廊中。躺臥地板上的他，看見兩邊牆上都是蒙娜麗莎的畫像。然後，他站起身來，在眾多的蒙娜麗莎畫像前微笑，他摸了摸下巴，感覺頗興奮。

他遊走在畫廊中，無數蒙娜麗莎就在他身旁擦肩而過。

忽爾，亨利八世聽見蒙娜麗莎的聲音說：『你要猜出誰是眞正的我。』

亨利八世停步，望向剛才走過的那一幅蒙娜麗莎，卻又看不見她的嘴在動。

驀地，畫廊內就彌漫著一股緊張的氣氛，亨利八世下意識地咬緊牙關。

合該又有事發生。

『啊……』走廊內迴盪出低沉的聲音。

亨利八世原地轉了一圈，尋找聲音的來源。

『啊……』聲音漸次增強，由起初的一人發聲，逐漸變成數十人的合聲。『啊……』

最後，數十把蒙娜麗莎的聲音齊聲說：『在五秒內，請找尋眞正的我！』

亨利八世張大口，但覺天旋地轉。他知道，若不能在五秒內達成她的要求，定必有可怕的事發生。

於是，亨利八世就左撲右撲。有的蒙娜麗莎在狂笑，有的哭，有的喃喃自語……一秒、兩秒、三秒……

亨利八世驚惶失措……

四秒……

刹那間，他看見走廊之盡有一張平靜的蒙娜麗莎臉孔，於是他凌空一躍而起，飛撲到她面前。

五秒。

亨利八世舒了一口大大的氣。沒猜錯吧！在回氣當中他抬起頭來，朝這張他揀選了的蒙娜麗莎望去，繼而，他卻看到——

蒙娜麗莎在畫框之內張大口作出無聲的悲鳴，她有極其苦痛的表情，那雙驚惶的眼睛，似正目睹世上最可怕的情景……

『不……』亨利八世後退一步，內心湧出沉重的不祥感。

『不……難道是我選錯？』

就在下一秒，一聲巨響轟然響起，亨利八世還未來得及掩住耳朵，他面前那幅被選中的蒙娜麗莎就被烈火焚燒，蒙娜麗莎被困在畫框之內，淒厲地掙扎。

『不！不！』亨利八世六神無主：『救命呀！救命呀！』

他脫下外套，拍向畫框企圖撲熄火焰，蒙娜麗莎在火海中張大口，發出無聲的叫喊。

他實在忍受不了她那張痛苦的臉，『不……這只是一個夢……不……』

亨利八世已淚流滿臉，神色惻然。

蒙娜麗莎淒苦悲痛地望著他，可怕地，她已變成一個火人，熊熊烈火，燃燒著她的上半身。

『救命呀！救命呀！』亨利八世悲淒地狂叫，聲音歇斯底里。『救命呀……救……』

然後，正當他一轉臉，就看到畫廊內出現了數以百人，衣香鬢影，每人手握高檔的飲料，似正在參加一個酒會派對那樣。

他立刻撲前去，見人便說：『救人呀！有人快被火燒死！』

但那些人根本全然看不到他，又聽不見他，更遑論伸出援手拯救蒙娜麗莎。

當再回頭望向火海中的蒙娜麗莎時，她已奄奄一息。

亨利八世一邊抹著眼淚一邊說：『你不要死……不要……這只是一場夢……』

畫框中的蒙娜麗莎伸出一隻手臂來。

『啊！』亨利八世恍然大悟。對了，把她拉出畫框，她就不會死嘛！

於是，亨利八世把手伸出，握住蒙娜麗莎的手。他感到有一股引力企圖把他拉進畫框內，他的心一怔，立刻湧出反抗的意識，使勁一拉，就把蒙娜麗莎由火海中拉出。

蒙娜麗莎應聲倒臥地上。亨利八世喘著氣，安下心來。

『沒事了……』他緊握她的手，而蒙娜麗莎虛弱地望著他，顯得氣如游絲。

畫廊中的賓客紛紛上前圍著他們二人。亨利八世顧不得人多，他掀起蒙娜麗莎身上的衣物準備查看她的傷勢。

他看見她白滑的肚皮，他伸手按下去，那微溫的肌膚下有著不正常的微震。亨利八世下意識地把手縮開，繼而他就看見，蒙娜麗莎的肚皮內，有不明物體正蠢蠢欲動。

『是甚麼？』亨利八世在心中疑惑，於是他把臉湊近去。

就在靠得接近的同一秒，蒙娜麗莎的肚皮急劇裂開，十數個拳頭般大小的血淋淋骷髏頭，由肚皮內飛彈而出。

『嘩——』亨利八世尖叫，連忙向後退。

骷髏頭的頸項很長，全部來自蒙娜麗莎的肚子，每一個骷髏頭都張牙怒目，狀甚兇狠。它們暴露在空氣中，前前後後地伸動，亨利八世觀察了一會，卻又發現它們似是唬嚇人多於襲擊，但因爲形態可怖，原本圍在四周的人都分開散去。

這班人離開之時，全部木無表情、目光呆滯，如行屍走肉。

亨利八世見這堆骷髏怪物沒實際傷害性，於是再度趨前，也果然，他一趨前，一隻隻的迷你骷髏頭便縮回蒙娜麗莎的肚皮內，就連肚皮上的裂縫，也自動癒合完好。

雖然有點不明所以，但也算是平安無事。亨利八世就放鬆下來喘息一會。

蒙娜麗莎把眼珠溜向他，他正要朝她微笑之際，他就看見，蒙娜麗莎的身體產生異動，肚皮再次上下起伏，似有千千萬萬個小東西爭著湧出來。

『呀——』蒙娜麗莎苦痛嘶叫。

亨利八世放膽伸手把蒙娜麗莎的衣服褪去，繼而他便看見，不止是肚皮，就連心胸的位置，也同樣不住的凹凸起伏，她渾身如同波浪，不受控制地被體內的異物衝擊。

『救我……』蒙娜麗莎絕望地望著亨利八世，吐出這兩個字。

『不！不！』亨利八世把她扶進懷中，試圖帶她離開。『不！你不會有事！』

亨利八世話一說完，瞬間，蒙娜麗莎身軀上的皮膚急劇變異，萬千個細小人頭企圖破膚而出。看真一點，那些全是最慘痛的靈魂面孔，他們張口悲鳴、鬼哭神號、惘然迷失、苦痛執著、靈性敗壞……他們在這個女人的軀體之內胡亂鑽動，爭相從苦難中逃脫。

她小小一個軀體，困住了這麼多愁苦又兇惡的靈魂。

『呀——呀——』蒙娜麗莎不住的嘶叫，身心欲碎。

『不！不！』亨利八世甚麼也做不到，只能夠眼睜睜地看著愛人受苦。

最後，蒙娜麗莎吶喊：『天呀——天呀——救我——』

身體之內萬千個苦魂跟隨軀體的主人齊聲哀號：『啊——呀——』

苦魂的聲音低沉又漫長，口齒不清、欲語還休、有冤無路訴。『啊——呀——』

『啊——呀——』

就在萬魂哀號中，蒙娜麗莎雙眼翻白，斷了氣。

躺在亨利八世懷中的美女，已形神不存。當眼珠由上眼瞼滑動下來後，亨利八世看見，那雙眸子已黯淡無光。他深愛的女人，死在他的懷中。

『不！不！你醒過來！』他猛力搖晃已斷氣的她。

『不……這只是夢……醒來醒來……』

『不……不……是我救活不到你……』

亨利八世把臉貼著她的，哭得死去活來。

『告訴我，這是一場夢……』他傷心欲絕。『你醒來，這不過是一場夢……』

一把聲音傳來，這樣說：『不，這並不是夢。』

亨利八世朝四周望去，畫廊內已空空如也，沒有賓客，更沒有蒙娜麗莎的畫像。世上，只剩下悲慟的他和懷中愛人的屍骸。

聲音再說：『這不是夢，這才是眞實。』

亨利八世惘然抬頭，喃喃自語：『是我救不到你……』

聲音猶如催眠：『這是眞實。』

亨利八世淒苦地說：『眞實……這是眞實……我也不想活了……』

聲音一直說：『這不是夢。』

『我怎能再活下去……』

眼淚汩汩而下，滴濕了蒙娜麗莎的臉龐，她臉上的顏料點滴溶化。亨利八世放下蒙娜麗莎，迷迷惘惘地站起來，當定神朝前方一看，便看見畫廊之盡有左右兩條路，下意識地，他知道正面臨一項選擇。

他腳步虛虛浮浮地向走前，跟前兩條分岔路，情景益發清晰。

右邊那條路是空白的，除了光之外，甚麼也沒有。

左邊那條路的牆壁和天花板由一具一具屍體貼搭而成，那是一條屍體之路。

亨利八世停下來，思想片刻，接著就往左邊那條路走去。但覺，自己屬於那裡。

一直往左邊走，他顯得心無旁鶩。

忽爾，從後有人叫住他：『另一條路是往投胎的道路啊！』

亨利八世回望，他看見，站在角落叫停他的是他的二女兒，偉大的伊莉莎白一世。

她對父親說：『父王，潔白無瑕的那條路保證你可以得到投胎爲威廉王子的機會。』

亨利八世想了想，然後虛弱地微笑，『她死了，我亦活不下去……』

伊莉莎白一世懊惱起來。『父王，這只是一場夢呀！』

剎那間，亨利八世呆住，心頭抽動，猛然驚醒，他瞳孔放大，怔怔地瞪著女兒。

伊莉莎白一世沉住氣，等待父親的回話。

亨利八世的眼珠緩緩溜動，他在仔細思想。

伊莉莎白一世牢牢望著父親。

最後，亨利八世徐徐抬起眼睛，這樣說：『不！』他輕輕搖頭，語調堅定：『這不是一場夢。蒙娜麗莎死了之後，我就不再有夢。』

伊莉莎白一世愕然地嘴微張開。而亨利八世身後那條屍體之路像有生命那樣，急速向著亨利八世伸展，主動地迎進這名自願步入者。

道路之內的屍體漸漸甦醒，他們張開了沉睡已久的眼睛。

亨利八世在踏入這條路之前，回頭向蒙娜麗莎的屍體望去，只看了一眼，她的屍體就龜裂碎開，頃刻，化成粉末塌了下來。

世上，再不存在蒙娜麗莎。

亨利八世悲痛莫名，掩面嚎哭。

蒙娜麗莎屍體的粉末被一陣異風吹散。亨利八世看見了，只有哭得更淒涼。

伊莉莎白一世仍然不想放棄，她再說一遍：『這只是一個夢。』

亨利八世邊哭邊搖頭：『沒有她，我已不再有夢……』

伊莉莎白一世的臉容悲淒，她知道自己失敗了。

亨利八世悲憤地說：『我是眞心愛她，我一直以來也眞心眞意，縱然，無人會相信！無人會明白！』

『蒙娜麗莎不可以死……蒙娜麗莎不可以死……』亨利八世已哭成淚人。

伊莉莎白一世叫喊：『父王！你經歷了千辛萬苦，目的不外是變成威廉王子！你不可以放棄這個機會！』

亨利八世不再理會女兒的說話，他淚流披臉，不住呢喃：『我所愛的已不在……不在……』

亨利八世轉身，走進屍體之路中，伊莉莎白一世親眼看見，成千上萬的屍體自牆上和天花板爬下來，密密地包圍她的父親。

亨利八世會有一個怎樣的結局？被成千上萬的屍體蠶食溶化？抑或變作它們的同類，生生世世貼在屍體之路的牆壁上？

伊莉莎白一世流下淚來，她沒料到，亨利八世會作出這樣的選擇。

當蒙娜麗莎不存在，亨利八世再也活不下去……

＊　＊　＊

蒙娜麗莎抱著仍然逗留在噩夢中的亨利八世，她那張舉世聞名的臉顯得蒼白冰寒，實在很少機會看見蒙娜麗莎有這樣驚恐不安的神色。

『不……不會是這樣……』她喃喃自語。而她懷中的亨利八世氣息漸次微弱，渾身冰冷。

她恐怕，他會死在她的懷中。

內心一股惻然洶湧而至，她決定自床上撐起身體來。

而當身體一被雙手撐起，她就降臨在畫廊中，地上飄散的粉末重新匯聚組合然後凝結，蒙娜麗莎就在夢中死亡之地重生。

她俐落地站起來，二話不說走入屍體之路中。道路內壁牆上只餘下一些力氣不夠的孱弱屍體，稍微能量充沛的，都早已爬了下來，一個接一個朝道路的盡頭走去。長長的路中，走著數以千計、蹣跚而行的屍體。

蒙娜麗莎比屍體走得要快，她拔足跑到盡頭中。

亨利八世仍在。他被大字形地鎖在一道由鐵枝築成的牆上，他的軀體被剖開來，身前伏著十多個咬噬他內臟的屍體，其餘圍不上去的上百條屍體，就瞄準偶然跌到地上的內臟殘餘物，一堆一堆地撲上去搶食。

地獄一樣的畫面：腸穿肚爛的人、飢餓的魔鬼。

蒙娜麗莎佇立屍體堆之後，含淚望向亨利八世。她看到的，卻是一張平靜清醒的臉。他也看到她了，神色既不錯愕又不激動。

蒙娜麗莎哽咽起來：『原來，這不是夢……』

一直以來，亨利八世都說他的噩夢會成眞，現在，她相信了。她已來臨他的夢中，一切，都是這麼眞實。眞實的恐懼、眞實的震撼、眞實的悲哀。

眼淚汩汩而下。她問：『為甚麼你不去投胎？』

亨利八世平靜地告訴她：『因為你不在，所以我亦活不成了。』

蒙娜麗莎掩臉嗚咽。『你不要這樣做……不要……』

亨利八世說：『我想你知道，一直以來，我都是眞心一片。投胎變做威廉王子很好，但知道你平安健在，卻更重要。』

蒙娜麗莎不住搖頭：『你下來吧！下來離開這條路，我不要你為我自殺……』

亨利八世的眼睛望向遠處，這樣說：『我不知道為甚麼會如此愛你，這已經超越了當初的所有安排。』

蒙娜麗莎哭得非常淒涼，她從沒想過，他會這樣愛她。心情便變得複雜：慚愧、傷痛、苦澀、但又澎湃。

愛，具力量喚醒任何一個靈魂。

她抬起頭來，實在不知道應怎樣面對他。

著實悲傷不已。『我不值得你這樣做……這只是一個遊戲，我不想連累你……』

亨利八世微笑。『我說值得就值得。』

蒙娜麗莎激動地說：『下來吧！你現在還趕得及投胎！』

蒙娜麗莎眞心眞意爲他著想。她忍受不了，只因爲她，他失去了最珍貴的機會。

亨利八世卻提醒她：『投胎？但你的心沒有跳啊！』

一言驚醒。蒙娜麗莎連忙伸手按在心房上。

一秒。

『碰啪。』

蒙娜麗莎的瞳孔放大。

兩秒。

『碰啪。』

蒙娜麗莎的臉容發亮。

三秒。

『碰啪。』

蒙娜麗莎抬起臉來，驚喜地望向亨利八世。

就在四目交投的一刻，一道潔白的光線由鐵牆的背後湧射而至，白光所到之處，醜惡的事物全然消失，屍體不見了，驚慄消散了，所有陰暗痛苦，經白光一照，就不復存在，甚至，猶如從未出現過那樣。

這個世界光潔如新、希望滿溢。

亨利八世已站到蒙娜麗莎跟前，他倆四手緊握，深深對望。

曼妙地，他們已置身通往投胎的道路中。

蒙娜麗莎說：『只要你轉身走進去，就能達成你的心願。』

亨利八世情深地望著她，輕笑。

蒙娜麗莎又說：『感謝你，多久了，我從未如此被愛過，就連我的造物主，也未必能如此愛我。』

道路之上急速劃過一顆流星。蒙娜麗莎的造物主大概也正在風流快活，早已記不起她。

蒙娜麗莎的眼睛隨著流星流動。她猜想得到的，也不過是這樣。她已對她的造物主不存任何旖旎的幻想。

眼前的亨利八世卻沒答話，仍在默默地笑。

蒙娜麗莎撇了撇小嘴，溫柔地告訴他：『快轉身走進去，趕不及的話，你就只可以當上次一等的哈利王子！』

亨利八世深深地望進她的眼睛裡，良久後，才這樣說：『我不去投胎。』

蒙娜麗莎立刻一臉錯愕：『爲甚麼？』

亨利八世會心微笑，如此說：『因爲，你並沒有第四下心跳。』

蒙娜麗莎呆住。亨利八世帶笑望著她。她完全沒料到，他數得出她只有三次心跳。是的，渴求良久的心臟只跳動了三次，它沒爲這段關係跳動第四次。

『所以我並未合格！』亨利八世笑意盎然。

再一次，蒙娜麗莎感動不已，心內暖暖地抽動，眼眶就湧出熱淚來。

她在淚眼朦朧中嘆息。結局中的驚喜實在源源不絕。

還以爲這只是一次發狂形式的官能虐待，還以爲大家各懷鬼胎無情地結合；誰料，在殘酷的背後，跟隨著一顆眞心。

亨利八世俏皮地提議：『請給我機會來令你的心跳出第四下、第五下、第六下……』

蒙娜麗莎又哭又笑。『爲甚麼你揀中我？』

亨利八世便說：『我們盲婚啞嫁，然後卻培養出眞感情。』

看見他的樣子帶著幾分輕佻，蒙娜麗莎嬌嗲地推開他。『我蒙娜麗莎不是隨便給人機會的！』

亨利八世就說：『但我可以滿足你的虐待狂啊！』然後，又認眞說起來。『我無法解釋，但我一早已眞心愛上你。我愛上你的容貌，亦接受得到你異於常人的個性和行徑。』說罷，他就溜動眼珠，自顧自說：『這還未算愛的話，可眞的不得了！』

蒙娜麗莎怔怔的，她以仰視的角度觀看他。也是頭一次，她發自內心地覺得亨利八世眞的長得高大軒昂。

亨利八世說：『我會努力使你愛上我，令你的心無止盡地跳動，令你活得似個眞正的女人。』

亨利八世目光誠懇，極具男子氣概。甚至，說得上是一諾千金、氣勢磅礡。

一股震撼迴旋在蒙娜麗莎的心中。她牢牢地望著亨利八世，看得眼也不眨。

不得了……不得了……過分到不得了……

蒙娜麗莎實在忍受不了，她輕輕別轉臉，無法再看下去。

她盡力調和不暢順的呼吸。而一個重要的念頭，也已在心中升起。

她咬了咬唇，望著他，又向後退了一步。她這樣說：『我要想一想。』

說罷，她轉身，竟然一溜煙跑出這條白光之路。

亨利八世冷不防她有此行動，愕然了一會兒後，就跟隨她跑了出去。

但這條路的入口，再也不是他夢中出現過的畫廊。

面前有山有水。山巒翠綠青蔥，那平靜晶瑩的湖，光亮如鏡，優美地反映了山巒的臉……

『這個女人……』亨利八世無奈地苦笑。

他站在白光之路的出口，一時間眞不知該向前走還是返回去。

返回白光之路中，就能平安投胎做威廉王子；走進湖畔山巒深處，或許可在某天碰上那個突然逃之夭夭的女人。

他笑起來。原來那個化名蒙娜麗莎的超級虐待狂，也有膽小的一刻。

＊＊＊

Mystery的三胞胎在一個裝潢現代化的客廳接待亨利八世，他們每人手握一杯酒。

阿大穿著絹面棗紅色刺繡連身內衣，阿二是香檳色蕾絲長睡袍，阿三則是銀色三點式泳衣。

亨利八世也摒棄了十六世紀的貴族服裝，他改穿深紫色恤衫、黑西裝。

亨利八世坐在杏色大沙發上，阿大則坐在他旁邊的單座位之上，阿二倚著鋼琴，阿三坐下來彈奏一曲，氣氛優雅怡人。

阿大對亨利八世說：『是你成功喚醒翡翠小姐的心跳。』

阿二說：『是你成功令翡翠小姐感受到愛意。』

阿三則說：『眞是五百年來難得一見！』

亨利八世欠了欠身，謙遜地說：『套用現代愛情術語，我只是令殿下她對我產生好感，嚴重一點，也不外是爲了我而心動。但眞正的愛情尙未發生。』

阿大問他：『閣下認爲眞正的愛情該是甚麼一回事？』

亨利八世笑了笑，側起頭，如此說：『我相信，眞正的愛情來自相處，兩人互相欣賞又互相容忍，互相愛慕又互相協調。眞正愛情的學問多著，我還有一大段路要邊走邊學。』

阿二卻爲他感到可惜。『然而，你錯過了成爲威廉王子的機會。』

亨利八世聳聳肩。『與其做個不合格的威廉王子，倒不如好好裝備自己，他日當上一個更成就輝煌的人。』

阿二阿三互相對望，然後朝亨利八世閃亮出仰慕的眼神。『多麼有見地的一番話！』『簡直令人不禁傾心愛上！』

亨利八世被讚得面紅耳赤，樣子傻呼呼的。

阿大問他：『閣下有甚麼打算？』

亨利八世回答：『我已鎖定蒙娜麗莎殿下爲我的愛情學習對象，我打算永生永世好好愛護她。』

三個女人聽罷，立刻粉頰緋紅，醉倒不已。太久了，已經沒再聽過如此具男子氣概的一番話。『羡慕死人了！』『翡翠小姐眞是好福氣！』『世上居然仍剩下這種勇於去愛的男人！』

亨利八世呷了一口酒，他也笑得很幸福。

蒙娜麗莎口中那個白痴肥仔，已經今時不同往日。

他勇敢、剔透聰明，而且有 class。

當一個男人知道自己要些甚麼，又達成得到的時候，便不同凡響。

* * *

羅浮宮中放著的那幅蒙娜麗莎，最近一年成爲世界的焦點。

皆因蒙娜麗莎不見了，畫框內只剩下背景的那片墨綠，以及泥黃色的山水。蜿蜒蒼茫，如幻似眞。

國際刑警調查、羅馬教廷派神職人員灑聖水、全球靈幻權威紛紛開壇作法……都推測不到蒙娜麗莎為何失蹤，以及身在何方。

全世界的男人立刻失戀；全世界的女人陷入茫然之中。蒙娜麗莎消失世上，隨即帶走了人類心靈的一角。

以往，蒙娜麗莎只是利用時空出走，無論她遊走人間多久，畫像中的她依然安分守己地端坐；但今回，她全心全意讓自己隱沒世上，蒙娜麗莎永遠不復存在。

究竟，蒙娜麗莎身在何方？

她藏身於紐約的一間小公寓裡。

廉價的房子，就連電燈都只是燈泡一顆，牆身剝落，水喉漏水，天花板的水漬一攤攤，沙發的料子發霉，廁所內有洗不掉的臭味，電視接收不佳，床單半年不更換一次……

蒙娜麗莎就住在這裡。此刻，她窩在沙發內，背向我們，面向電視機。

電視的畫面是黑白戰爭電影，蒙娜麗莎一邊呆滯地瞪著畫面，一邊不住把薯片、披薩、熱狗、汽水、巧克力、冰淇淋、蛋糕、牛排、西多士、炒麵、烤雞、乳酪龍蝦……往嘴裡送。

要吃甚麼就有甚麼，只要在腦海中掠過念頭，手中就出現食物。她把雞腿咬了一大口，隨便拋到地上，然後，再送往嘴邊的是義大利粉和蒜蓉包。

『呃……』她擠出了胃氣。

蒙娜麗莎的頭微揚，這樣的角度讓我們看見了她的三層下巴。當她把臉轉到沙發之後，我們更可以地看到，蒙娜麗莎的最新容貌：大圓臉、呆滯而細小的眼睛、油膩的嘴巴。

曾經，她是傾倒眾生的一個女人。

她以手袖擦了擦嘴，吃力地由沙發撐起身來，她要推開沙發，才可以讓四百磅的身形順利移動。吃得太多，她每天都要去三次廁所。

她以一種近乎放棄自己的可怕姿態生活，沮喪、隨便、不自愛、惘然……活得一天算一天。她不思想、不面對現實、完全不顧自我形象。

忽然間，她無法面對自己。

座廁以轟天動地的聲音沖走她的排洩物，而她的神情釋放出低俗的舒泰。吃完便拉，拉完便睡，睡過後又再狂吃狂喝。一天二十四小時，她只重複做這三件事。

比一頭牲畜更原始。也似乎只有這樣的生活，她才不用面對自己的心靈。

——曾經，有一天，有一個男人答應讓她的心一直跳動下去。她將會有第四下、第五下、第六下……無止盡的心跳。

痴肥的蒙娜麗莎又窩到沙發中去。剛想起『心跳』這兩個字，她就急忙合上眼睛，她才不要自己具意識地想下去。她搔了搔鼻子，催眠自己去睡。

——渴望了太久才得到的東西，一旦得到了，才發現自己不敢要。

覺得自己無資格、配不上、不知如何處理面對。

有些女人因失戀而痴肥自毀，蒙娜麗莎卻因爲得到愛情而沮喪不堪。果然，她是世上最獨一無二的女人。

而在某一天，當蒙娜麗莎吃罷三份披薩、一打雞腿、一大鍋羅宋湯、一整條法國麵包、一盤沙拉、三條烤魚、五隻亞拉斯加大蟹之後，滿臉食物殘漬的她又準備窩在沙發中睡。意外地，她臃腫肥大的身軀壓住了沙發上的電視遙控器，電視機的畫面就由肥皀劇變成時事新聞。

新聞報導員說，羅浮宮內的那張只剩下風景不見人影的蒙娜麗莎畫像，當天早上被人奧妙地偷去。羅浮宮裡裡外外聚集了數以萬計的人群，他們爲失去蒙娜麗莎的背後風景而哀慟，他們悲哭、控訴、咒罵、激動洩憤、祈禱、慌張、失控……他們無法忍受就連蒙娜麗莎身後的風光也一併消失世上。

沙發內的蒙娜麗莎倒是冷靜。她看了一會，就關掉了電視機。

然後，她側身躺臥沙發中，爲自己披上一張毛毯，繼而，合上眼睛。

公寓顯得孤清，靜靜的、陰鬱的，沒半點聲響。

就在無聲無息之中，她從眼角滴出淚水。

一滴跟著一滴，不久，一串接著一串。默默地，她跌進了哀慟的情緒中。

她一直窩在沙發掉眼淚。一小時、兩小時、三小時……完全制止不了內心的淒涼悲慟；哭得牙關抖震，臉容變異。臉色也由紅轉紫再變青。

到最後，她哭得嗆住氣，呼吸不順，連綿不斷地抽搐。喃喃地，她說著這一句：『是我沒用……是我沒用……』

哭得腦袋也缺氧了。她一邊顫抖一邊喘氣。

『是我沒用……沒用……』

哭得迷迷懵懵。眼白也快要翻出來了。

然後，眼前一黑，蒙娜麗莎就失去了意識。她的眼淚，把她拖進一個奇異的幽谷。

爲甚麼哭得如此淒涼？蒙娜麗莎爲甚麼要哭？眼淚流之不盡，那悲哀源頭不外是爲著自己。一個人，也只有因爲自己，才會如此傷悲。

蒙娜麗莎以眼淚憐憫自己。

她已遊走到一個無光的境地，在微弱呼吸聲中，她聽見自己的聲音說：『你只能夠提起勇氣堅強地踏出去；要不然，你只會日復日看不起你自己。』

然後，她聽見一滴水跌墮在湖面的聲音。她就知道了，那是她的最後一滴眼淚。

也是時候，步出這間存活於思海的公寓之外。

* * *

亨利八世坐在一片墨綠色的風景之內。天空是一片無際的灰綠，山巒與叢林混合著深淺不一的墨綠；平原有著草綠的色彩，而河流兩旁的山與地，則是泥黃夾雜了深綠色。天際遠處有一團雲，雲的背後有白裡透綠的光。

他坐在蒙娜麗莎畫像的背景之內，等待蒙娜麗莎的出現。

他西裝筆挺，端坐在一張黑色高背皮椅之上，靠放在右邊地上的，是那張只有風景沒有女主角的蒙娜麗莎畫像。他私下借來一用。

亨利八世已坐了接近兩小時。而不久，蒙娜麗莎出現了，她由墨綠色的山巒中步出，徐徐走在平原中。

她的身影由小變大，亨利八世很快便看見她變了形、龐大的身軀，看來起碼有四百磅重。超級加碼後的蒙娜麗莎步履尚算穩定輕盈，她像一艘巨型船艦那樣逐步移近。亨利八世的表情漸漸釋放出笑意，他站起來，氣宇軒昂地面向著她。

她已經走得很近了，大約只有三十呎的距離。亨利八世的笑意愈來愈濃，透露出一點點興奮與激動。

蒙娜麗莎愈走愈近，她臃腫痴肥巨大，而那張臉，鬆弛又賤肉橫生，五官可笑地全擠到臉孔的中央。

看著這樣的一張臉，亨利八世的笑容卻益發漂亮，當中更夾雜了男性的羞澀、緊張，以及讚歎。

他長長地嘆了口氣。如果有人在此刻訪問他的心情，他定必會毫無遺漏地表達他的感動。他垂下了星光溢滿的眼睛，不可置信地輕輕搖了搖頭。事到如今，他居然依然覺得，這個女人美得不可方物。他望了她一眼，又再深深嘆息。天啊，她簡直美得令他無法正視。

蒙娜麗莎與他在相隔著五步的距離站定下來。本來，她懷著一個戰意高昂、防衛充足的心情前來，卻萬萬料不到，就這樣被亨利八世那如中學男生般的害羞靦腆神態融化。這樣一個傻氣又興奮的仰慕者，實在沒有甚麼需要防備。

是故，站在亨利八世跟前的蒙娜麗莎，也顯得有點不好意思。都不知該裝個甚麼樣子才好。

亨利八世偷走了達文西爲她創造的背後風景，目的不外是引她出來。原本，她該爲此事裝出盛怒的質問，此刻面對面之後，她又發覺沒此需要了。

這個男人的目的來來去去只是『愛』這個字，甚至沒打算佔甚麼上風。就算勝劵在握，他也表現得傻裡傻氣、痴心一片。

二人就這樣站著。亨利八世笑不攏嘴；蒙娜麗莎拘謹地故意不望他。

最後，還是蒙娜麗莎先說話，她帶點責備地問：『幹嗎偷走我的背景？』

亨利八世抓了抓頭皮，然後說：『想見見你嘛！』

蒙娜麗莎揚起了無眉毛的眉骨，說：『你看不見我胖了不少嗎？都擠不進去了。』說罷就帶著幾分尷尬地玩弄自己的指頭。

亨利八世深情地望著她，這樣說：『胖有胖的漂亮……就算擠爆了畫框都是蒙娜麗莎最漂亮。』

蒙娜麗莎聽得見他的說話，她依然垂著頭沒望他。沉默半晌後，她的臉孔就漲紅了，一滴眼淚由她的眼角滴下。

看見她的眼淚，他當然就心痛了。他踏步上前，把她擁在懷中。今時今日，他的一雙臂膀已圍不住肥大的她。

『討厭……』蒙娜麗莎仍然不準備完全放下自己的倔強與自尊。然而口說討厭，心卻還是熱烘烘的，也讓他盡能力去抱著，沒反抗沒躲開。

亨利八世擁抱著深愛的人，忽然就明白了何謂恍如隔世、劫後重生。終於終於，歷盡千辛萬苦，也終歸得到。

眼淚一開始奔流，就無法被制止，蒙娜麗莎哭得抽搐。亨利八世撫摸她的秀髮，又輕吻她的髮頂。嗅著她那淡淡的顏料味，他的心情同樣激動。

蒙娜麗莎嗚咽地說：『我承受不了你如此愛我……』

亨利八世試圖把她抱得更緊。『甚麼事也得有個開始。』

忽爾，蒙娜麗莎怔怔地睜著眼睛。

『碰啪。』

心房內，激發出第四下心跳。

亨利八世也感受得到，他卻只是亮著眼睛，沒特別說些甚麼。

戀人的心，是應該相通的。

蒙娜麗莎微笑，笑容安逸。她輕輕合上眼睛。

亨利八世牽起她的手，與她並肩向前走，平原的盡處就是一片更深的綠色。

蒙娜麗莎望著前方笑起來，這樣說：『算了吧！橫豎不虐待你我會不習慣。』

亨利八世仰面大笑：『哈哈哈哈哈！』他喜歡她與他一起的理由。

『哈哈哈哈哈！』亨利八世笑聲不絕。

蒙娜麗莎站定下來，側起頭望向亨利八世狂傲的笑臉。看了半晌，漸漸，她感覺到一股不自在……

別自鳴得意、別自以為是、別以為會有好日子過……

她無法看得慣這個男人有超過五分鐘的安樂。夠了夠了，她已讓他開心得太久，實在忍受不住他一副無後顧之憂的討厭樣子。蒙娜麗莎鼓著氣，咬了咬牙，縱然肥胖，她還是有能力一躍彈起，當身體飛躍半空之際，她就踢出一隻胖腿，狠狠地擊落在亨利八世仍然笑意盎然的臉上。

亨利八世步履不穩地向後滑出去。就在跌倒地上的一剎那，他的心情是一分愕然混雜九十九分的理所當然。

他也重達三百磅，是故激起了滾滾沙塵。

是的，這種情景，怎會不出現……

視線灰濛濛的。當泥塵散去後，亨利八世就看見佇立他跟前、高高在上的蒙娜麗莎。

她掛上一抹勝利的、鄙夷的、淒冷但又隱隱滲著愛意的笑容。

實在誘惑得不得了。

『啊……啊……啊……』

這個女人，兇惡又變態、情緒不穩、天性殘忍……

實在，美——不——勝——收！

亨利八世就在這種美之中張口結舌。

蒙娜麗莎揚動長袍襬尾，趾高氣揚走過他身邊。亨利八世急急從泥地上爬起來，尾隨這個他深愛的女人。

風吹拂她的長髮，髮尖撩動了他的感官。他但願，可以永生追隨她身後。

他知道，往後的日子，她定必會發現他更多更多的優點，從而心跳不絕。而此刻，他完全不介意繼續當一隻狗。

從正面看上去，這一人一狗，都在臉上透露出朦朧幻美的幸福。

CHAPTER - 02
TIARA'S SMILE

~ Tiara's Smile ~

一八一〇年，拿破崙與奧地利公主瑪麗露意絲Marie Louise大婚。婚禮盛大隆重，拿破崙娶了一名擁有眞正貴族血統的妻子後，成爲歐洲大帝的理想又邁前一步。

婚禮的翌日，拿破崙就返回瑪爾梅莊城堡，那是Tiara的家。自與拿破崙離婚後，Tiara就長居在城堡之內，而這亦是約瑟芬的原本選擇。拿破崙向Tiara保證，一星期中他會有四個夜晚陪伴她度過，Tiara很滿意，她知道她正享受著約瑟芬所欠缺的。眞正的約瑟芬在與拿破崙離婚後，只能維持一段友誼式的關係，哪像今天的Tiara大獲全勝？奧地利公主才十九歲呢，但拿破崙戀戀不捨的是四十七歲的她。

瑪爾梅莊城堡也正舉行喜樂滿盈的婚宴派對，但這大婚派對，奧地利公主並沒有參與，她與拿破崙的大婚盛宴，設在另一所皇宮。在瑪爾梅莊城堡的派對中，Tiara穿一身白色，披上頭紗，手執玫瑰花束，與拿破崙再行一次婚禮。拿破崙按照傳統，給Tiara送來一個巨型的青銅結婚籃，內裡盛載著名貴首飾、金幣以及一些稀世奇珍。這一切全是拿破崙的意思，他要別人知道，他沒有放棄Tiara，縱然命運再無奈，他也一心一意愛著她。

他們在眾人跟前深吻，就像他們二人所擁有過的每一吻，總是那麼激情、澎湃，就連觀看者都看得透不過氣來，天地間就爲著這樣的深吻而旋轉，他們再吻下去的話，大概就能吻至天長地久。

終於終於，這一吻也停止了，旁觀的人熱烈拍掌，小小花童向他倆撒出花瓣，這相愛的二人情深凝視對方，眼眸內傾瀉出閃亮的愛意。

哪有人如此相愛？無止盡、從不動搖，光陰每燃燒一秒，愛意就激烈爆發多一秒。時日漸遠，愛情不單沒消逝，反而存活得更濃郁芬芳。

派對過後，Tiara 與拿破崙在飄滿玫瑰花瓣的浴池中休息，池畔擺放了數百枝香薰蠟燭。Tiara 替拿破崙做磨砂面膜，又按摩他的肌膚。生活中總要有這些時刻，不用動腦筋，只管享受。

她說：『要用熱泥多做身體按摩，要不然，像我們這種年紀，很快便會肥胖得一發不可收拾。』

拿破崙伸手捏了一捏她腰間的肉，然後說：『你沒半點多餘的脂肪啊！』

Tiara 便說：『你有所不知，我每天花上多少光陰去保養約瑟芬的姿容和身形。你看不見嗎？我已三年沒有吃過麵包、麵條和米飯了！』

拿破崙與她面對面，然後說：『真了不起，永遠都是你最美麗！』

Tiara 拿起眉鉗替拿破崙拔去臉上的雜毛。『我不可以不美麗，我不能叫偉大的拿破崙大帝蒙羞。』

拿破崙忽然問：『你要不要我私下把你喚作 Tiara？』

Tiara 笑著搖頭。『不，我喜歡你叫我約瑟芬。』

拿破崙輕撫她的蛋臉，又拿起她的指頭親了親。

Tiara說：『世上所有女人都希望當上拿破崙的約瑟芬。你能令一個女人永遠被愛，永遠似個少女。』

拿破崙以水潑去臉上磨砂，然後說：『是我令你回不去，你原本有一個極好的人生。』

Tiara沒理會他的說話，她檢視拿破崙臉上的毛孔，滿足起來。『果然具深層清潔功效……』

拿破崙溜了溜眼珠，朝她的臉龐假裝要咬一口，Tiara連忙縮向後，水花四濺，她吃吃的笑。拿破崙捉住向後移動的她。『你要我怎樣補償你？』

Tiara想了想，繼而說：『你要給我非常快樂的日子。』

拿破崙問：『告訴我，如何可以令你快樂？』

Tiara微笑，望著他：『愛我愛我愛我。』

就這樣，拿破崙把她牢牢看了數十秒，然後上前去擁抱她。世上再沒有任何事，比繼續去愛她，令他更加願意。

他對她說：『我給你我所有的愛，多於我能給予的。』

她就笑得很燦爛，明眸亮得如孩童的眼睛。

拿破崙輕吻她，她哈哈笑起來，然後細細凝視愛人的眼睛。半晌後，她就說：『都過了這些年，你還仍然渴望我？』

拿破崙深深望進Tiara琥珀色的眼睛內，這樣說：『到了這年紀、愛了你這些年，我依然像當初那樣，愛你愛得心神恍惚。』

Tiara嬌美地垂下頭。她何嘗不是一樣？都這些年了，她仍然會爲著他的情話心跳臉紅。

拿破崙看著他深愛的女人，不禁嘆了口氣，這樣告訴她：『你明白嗎？那種沉重的孤獨自我出生的一刻就相隨，是遇上了你，可怕和冰冷的感受才被瓦解。』

他的眼神無比的溫柔，溫柔得叫她看著也心痛。

他還要說下去：『我的一切都屬於約瑟芬，只有她在身邊，我才有歡樂和幸福。』說罷，拿破崙把Tiara的手心按在他的心房之上，這樣說：『因此，我只好把約瑟芬囚居在我的心窩裡。』

Tiara頃刻動容，她長長地嘆息，繼而合上眼睛，感受心中的幸福旋動。

世界上還有甚麼是眞實？這一刻的感動才是存活的證明。

這一男一女，說著亞當夏娃的話語，把自天地初開最力量宏大的魔法重新活現世上。

愛。還有甚麼比愛更激盪，更轟烈，更魔幻？

* * *

Tiara只餘下四年的日子，在一八一四年，約瑟芬便要離世。Tiara看來很平靜，她叫自己明白，四年，其實也是個長日子。她曾經把數字計算出來，四年即是四十八個月，一千四百六十天，三萬五千四十小時，二百一十萬零二千四百分鐘。

『嘩！呵呵呵呵呵……二百一十萬零二千四百分鐘！實在太多太多！太慷慨！太感動！』

面對著拿破崙，Tiara會計算相處的分秒，從中又分別算出開心的分秒、平常的分秒，憂鬱的分秒；而每一次，開心的分秒必定勝出。

Tiara閒逸地坐在露台上仰望莊堡外的景致，那裡有人工開鑿的小河，綠油油的草坪，栽種玫瑰的溫室，茂密的林木，百彩鳥兒天然地棲息……縱然這空間有限期，但絕對愜意美麗。她笑了笑，呷了口紅茶，真的感到很幸福。

自從由馬車上走下來的一刻，就不再有愁思。這四年就當是給自己一份禮物。這四年是經過自由意志的選擇，當中只會是享受，不會有抱怨，也不會後悔。

無計算、無野心、無功利。這四年會是最純粹的愛情。世上有多少女人能夠享受整整四年的純愛情？除了愛愛愛之外，不會有其他雜念。任何嚮往愛情的女人，都該羨慕她。

Tiara由露台走進小沙龍中，斜倚在貴妃椅上，她燃起一根煙，享受她用原本的一生交換而來的時分秒。她一生都只相信昂貴的事物，既然這四年的代價高昂，那能得到的就定必了不起。

煙絲如夢似幻地飄散，使她的臉看來無比的淒美。她朝鑲嵌在牆上的大鏡中望去，但覺約瑟芬的姿容美艷無雙。走過盛年正步向暮年，卻是如今最美。

瑪爾梅莊在一八〇九年作出過一次點算，約瑟芬的衣物清單如下：四百九十八件襯衣、一千一百三十二對手套、七百八十五對鞋子、六百七十六件裙子、四百一十三雙襪子；而同年，她又新訂購了五百二十雙鞋子。鞋子多為絲或絹所做，脆弱易破損，穿不到一星期便要扔掉。Tiara很滿意這些數字，作為一個皇后，她擁有的物質要矜貴繁多；而作為一名備受寵愛的女人，不會放棄要求更多。明知華衣美鑽帶不走，但她不會停止奢侈的權利。她是Tiara，她要愛有愛，要財有財，她永遠都是勝利者，每一天也財色兼收。

『呵呵呵呵——』

三個裁縫六個侍女圍著她團團轉，她空出一隻手掩住嘴高聲嬌笑，房間的地板上是一匹又一匹名貴的布料，綾羅綢緞色彩紛陳，活像奔騰的河流，她就像由河中誕生的女神，站得直直地享受她的榮耀。

『呵呵呵呵——』

那朝氣勃勃戰無不勝的Tiara又回來了，她知道她會有絕對合她心意的四年光陰。這個世界是她的。

被寵愛的女人會做甚麼?當然就是肆無忌憚花男人的錢。Tiara大肆修葺瑪爾梅莊，令莊堡看上去充滿小島的景致：人工河流彎彎曲曲地伸延到大溫室，她把河流鑿得更深更闊，在陽光溫和的時分，她與拿破崙可以泛舟河上。

她又以各種名義舉辦派對，慈善的、慶賀的、聯誼交際的。差不多每隔一晚，莊堡內都衣香鬢影，花魁選舉、化妝舞會、東方之夜……奢華閃爍，富貴繁榮。

Tiara打扮得珠光寶氣，笑聲不斷，她喝酒跳舞，不醉無歸。自懂事開始，她所夢想過的生活就是如此。

當她決定要在餘下的四年盡興之際，拿破崙卻對她說出這番話：『親愛的，如果你的壽命眞的只餘下數載，那我不再征戰，不再花心神在開拓國土之上，我把時間留下來陪你，與你周遊列國享受人生。』

Tiara當下怔住，這不是她希望發生的事情。『皇上，歷史不是這樣走的，拿破崙的一生還未完結。』她笑了笑：『偉大的拿破崙尚未退休。』

拿破崙擁她入懷，告訴她：『作為一國之君，我該有權選擇我的生活。』

Tiara拍動長長的睫毛，靈巧地說：『皇上不用擔心，我向Mystery要求四十年的壽命不就行了？』

拿破崙問：『可以嗎？』

Tiara胸有成竹。『既然可以留在你身邊，還有甚麼辦不到？』

拿破崙覺得有道理，於是便放下心來。

Tiara輕輕別過了臉，暗吁一口氣。說真的，此事一點也不樂觀。

某天晚上，Tiara準備了一個名為『時光倒流』的晚宴，特地在宴會廳內擺放了數十個時分不一的時鐘，每個時鐘被色彩斑斕的羽毛簇擁，華麗又風光。

但身為主人家的她坐在一張Love Seat中，等了半小時賓客也沒來臨。她搖動小銀鈴，下人也沒聽命內進。她搖了搖手中羽扇，忽然就明白起來。

時光沒倒流，時光只是令她走進另一個空間。

果然，當宴會廳的門被推開來之後，Tiara便看見穿著內衣的女人步進，她們身後跟著一名金髮藍眼的俊美男子。

Tiara站起來向這一行四人欠了欠身，然後說：『Mystery的阿大阿二阿三小姐你們好；第一○七號當舖老闆兼愛情島島主加尼美德斯大人你好。』

Mystery和當舖的主持人也向她行禮，他們採取的更是當代的宮廷禮儀，那些優雅的鞠躬，半分弧度不差。

衣著猶如巴西熱舞女郎那樣性感豪放的阿大對Tiara說：『非洲之星小姐簡直前無古人。我們Mystery的客人從來沒有因爲一段愛情而滯留在一個設定的時空中。』

阿二身上的銀色睡袍艷麗高貴得恍如晚裝一樣。她說：『非洲之星小姐願以一生的榮華富貴換取四年的愛情！』說罷，就激動得熱淚盈眶。

阿三的胸脯以兩片白色貝殼遮掩，而腰下的位置則裝飾成美人魚模樣，藍色的鱗片閃閃生光。『愛情，眞的矜貴至此嗎？』阿三的目光，迷離如一團夢。

Tiara輕輕一笑，這樣說：『我畢生鍾情稀世奇珍，最後給我發現了，原來愛情才是無價。既然如此，淺嚐之後，我唯有據爲己有。』

Mystery三胞胎無話可說，加尼美德斯更加對她折服得不得了。他對Tiara說：『閣下是我耳聞目見的其中一位最有勇氣的女性。』

Tiara笑得雙眼瞇成一線。『閣下亦是我所耳聞目見其中一名最俊秀的男性。』立刻逗得加尼美德斯大樂，Mystery三胞胎則笑得如花嬌美。

『可惜，如此俊男，仍未找到肯爲他犧牲的女子。』阿大說。

『啊！我記起了，加尼美德斯大人有點小毛病。』Tiara說。

『難……難……難……爲情……』加尼美德斯抓了抓頭皮。

Tiara想起一個人：『Mr. Cocoa可好？』

阿大告訴她：『Mr. Cocoa替你的肉身辦了一次盛大的葬禮。』

Tiara 垂下眼，沉默無語。

阿二說：『你的肉身自你由馬車跳下來的一刻就停止心跳。』

阿三補充：『Mr. Cocoa 知道你的肉身有甦醒跡象，還滿心歡喜地守在你的床邊，誰料你的指頭動了、眼珠也能溜動之時，忽然在氣喘數下之後，心臟就停頓了。』

阿大嘆息。『Mr. Cocoa 看著你過世。』

Tiara 長長嘆了一口氣。『對不起，我讓大家亂了陣腳，計畫落空。』

加尼美德斯說：『但最緊要你不後……後……悔。』

Tiara 點了點頭。然後，她又問：『那時候，與我一起光顧愛情島服務的那名女孩子呢？』

阿二告訴她：『海藍寶石小姐早已在醫院中甦醒，她有足夠心理準備迎接新生活。』

Tiara 聽罷很高興。『她的經歷還愉快吧！』

阿三笑起來。『非常成功。無論對她本人又或是那名戀愛對象，都有莫大裨益。』

阿大便說：『你們二人，都是 Mystery 的成功 grand case。』

Tiara 輕輕搖頭，狀甚抱歉：『遺憾是我太反叛。』

加尼美德斯說：『愛情，當然令人留……留……戀……戀……』

Tiara 低頭思量，繼而怯生生地詢問：『可否冒昧請求？』

阿大卻一眼看穿她。『約瑟芬的死期定必在四年之後。』

Tiara 還未來得及表露失望，阿二已接著說：『拿破崙亦無法看你最後一面。』

阿三則說：『縱然你倆再相愛，但臨終的一刻都是孤獨的。』

想到此情此景，Tiara不禁黯然。尚未發生，已知淒清。那鑲有寶石的手套按在心房上，華貴，但痛。

『天下無不散之筵席。』阿大無奈地說。

Tiara的眉頭已皺在一起。『我知道，不能貪得無厭。』

阿二說：『我們也只能讓你沿著眞正的約瑟芬的生死路走。』

Tiara抬起眼來，問：『告訴我，我逝去之時，拿破崙會否心痛欲絕？』說罷，雙眼就盈滿了淚。

阿三憂愁地說：『他愛你，自然會心碎。』

眼淚由眼眶流下來，狀甚淒憐。『我不忍他傷心。』然後，Tiara掩面悲哭。

答應了拿破崙的事根本無可能做得到。

三胞胎默然。明知分離將會是一個極之心酸的片段，卻又無法爲流淚人減少半分苦楚。無能爲力，誰也不好受。

加尼美德斯尤其不忍心。『非洲之星小姐，我對閣下甚爲欣賞。』

Tiara以滿臉淚痕望向他。加尼美德斯續說：『請容許我以第一〇七號當舖老闆的名義與你來一次交易。』

Tiara的心頭立刻湧出了希望。

加尼美德斯說：『縱然生離死別，也無須愁懷滿載。』

Tiara溜了溜眼珠，她亦有同感。聰敏過人的她立刻轉動小宇宙，然後，她說出她的要求：

『當鋪老闆，我要以下的交易物：「我要永遠笑容如蜜，就連傷心，我也要笑著哭！」』

『笑著哭……』三胞胎立刻體會了箇中淒楚。

Tiara 抹掉眼淚，如此說：『我會比拿破崙先離去，我亦是洞悉天機的人，因此，我不可以讓他得知我比他早逝。』繼而，她就笑起來。『況且，我也不想用眼淚浪費我以原本風光一生換回來的四年。』

加尼美德斯愈聽愈心酸，他的鼻頭紅了。

Tiara 說：『當舖老闆，請你賜我微笑的力量。』

加尼美德斯驚歎地望著她，他實在想不出還有哪位美女比起面前這一位更具勇氣。縱然借著約瑟芬皮相的Tiara有一張中年女人的容貌，但加尼美德斯依然認爲她是塵世間最美。

『最低限度是近年的花魁。』

阿大看穿他沒頭沒腦這句話的意思，於是便鄙夷地笑。『沒多久之前，你才迷戀過我們的黑鑽石小姐。』

阿二阿三連忙附和。『對啊，我們的 grand case，Amulet 小姐！』

加尼美德漲紅了臉，不否認也不承認。『質素高的女性，當然就值得男士仰慕！』

看著這名滑稽但又俊美的神祇，Tiara 亦早已破涕爲笑。

阿大說：『非洲之星小姐，你的要求雖然感人，但你亦需要付出你的典當物，來交換一張能夠笑著哭的臉。』

『付出……』Tiara細細思量。『有甚麼我已不再需要……』

『金錢……對，我不需要金錢。但作爲約瑟芬也一貧如洗，即代表拿破崙有難。這個不可以！』

『美貌……也人到中年了，美貌已不再太重要。但是，貌醜的話，拿破崙看著我只會很難受，愛他，就要繼續美下去。』

『智慧、品味、得體的言談……統統依然重要，缺一也無法度過餘下的四年……』

三胞胎與加尼美德斯耐心地等待Tiara。然後，Tiara打量自己身上的華衣，又向四周繽紛華麗的佈置望去，忽然就決定了。『我知道了，我可以犧牲此甚麼……』

加尼美德斯說：『請說。』

Tiara微笑。『我願意以世上一切色彩來交換。』

三胞胎面面相覷，加尼美德斯就皺起了眉頭，繼而問：『背後有甚麼意思嗎？』

Tiara告訴他：『拿破崙已經給了我最繽紛斑斕的愛情和生活，我實在用不著更多的色彩。縱然天地灰黑一片，有他的愛，我的世界仍然會璀璨如昔。』

加尼美德斯微微張大了口，深感她所說的話優美如詩篇。

阿大說：『非洲之星小姐，從此你便會變成色盲。』

Tiara點了點頭。『我應付得來。』

阿二說：『世界盡褪色不是開玩笑的事。』

Tiara聳了聳肩，笑得亮麗快樂。『付出深一點，他日換回來的笑臉也可以甜蜜一點。』

阿三說：『那將會是黑白電影一般的人生。』

Tiara 笑起來，她眞是毫不介意。

然後，四人一陣沉默。三胞胎與加尼美德斯都對面前這名女孩有著一種憐惜，她爲著留在此地已犧牲了許多，他們不希望她受太多的苦楚。

Tiara 倒是笑意盈盈的，無論做甚麼決定，她都有著強大的決心，以及毫不後悔的神采。

阿大看得明白，亦覺得沒有甚麼需要再猶豫。於是，她對加尼美德斯說：『還不快給非洲之星小姐微笑的力量？』

加尼美德斯細細感嘆。他看進Tiara的眸子內，繼而把修長優美的手放在她的臉龐，隨著一股光與熱，Tiara緩緩合上了眼睛，然後，一抹溫柔、迷人、光亮、純善的笑容神聖地綻放，這笑容燃亮了 Tiara 的神采，使她美若相伴上帝的天使模樣。

當華彩漸褪，Tiara 才張開眼睛，琥珀色的眼眸內溢滿了嬰兒般的美善光芒。

初生、純正、無瑕。美得不可言喻。

加尼美德斯、Mystery 的阿大阿二阿三全因驚歎而無語，站在他們當中的 Tiara，就是重生的維納斯。

聖潔、細緻、絕美、極具力量。

Tiara 眼波流動，加尼美德斯這才把手心從她的臉龐放下。自覺已沒資格繼續觸摸她。

Tiara 帶著這不可思議的微笑望向身邊四名神人，輕聲說：『我已自覺有所不同。』

加尼美德斯回答：『你已是一個魔法擁有者。』

阿大說：『從此，你的微笑有足夠力量瓦解世上一切痛苦。』

阿二說：『從此，你的微笑是你所愛的人的安慰。』

阿三說：『從此，你無須再害怕生死。』

Tiara 把雙手按在心房上，側頭輕說：『只要拿破崙一想起我的微笑……』

她再次合上眼，『他就不再感到痛苦……』

熱淚由眼角淌下。『因爲，我的愛意已包圍著他。』

眼淚流往唇邊，然後，那嬌美的嘴唇在不知不覺中，勾起一抹世上最迷人的微笑……

* * *

在離開 Tiara 後，加尼美德斯決定了一件事，他要讓 Tiara 得到一個意料不到的哭泣笑臉。

『以全世界的色彩換取的哭泣笑臉一定要值回票價。不可以讓她付出太多而收穫太少。』

加尼美德斯得意洋洋，自覺是名可人而且滿分的當舖老闆。

『就這樣決定。犯不著要 Mystery 那三胞胎批准。雖然客人是她們轉介過來，但我才是當舖老闆。』

當把 Tiara 的典當物收到玻璃瓶中的時候，第一〇七號當舖老闆但覺自己滿懷男子氣概。

* * *

Tiara依循約瑟芬的歷史大量栽種新品種的玫瑰，也大肆修葺住處，她知道，若干年後，人們會從瑪爾梅莊緬懷拿破崙與約瑟芬的時代。

Tiara亦告訴拿破崙，她從Mystery得到四十年的壽命，他倆的愛情定必白頭偕老。她要拿破崙安心繼續完成身爲拿破崙的使命，她不容許自己的存在擾亂正式的歷史。

拿破崙便全然安下心來。在無後顧之憂下，他在公在私也從容不迫。

Tiara很滿意，她認爲自己處理得很完美。

世界也隨著她典當後變得灰暗起來。抬頭望天，有陽光的那一端是透光的淺灰色，被雲層遮蓋的另一端是深一點的灰色。樹林的灰看來很實在，飼養在莊園的小鹿又是另一種灰的色調，躍動的、稚氣的。一朵玫瑰的灰色顯得層次分明，近花蕊的那種灰深邃又比較有力量。當風吹拂草地時，那一片無盡的灰色居然也滿滿有生命力。一頭鼬鼠就由灰色的草地中伸出小頭來，牠那雙精靈的眼珠子，灰得帶著一點閃亮。

而拿破崙的臉，亦很搭襯灰色的情調。眉毛、眼珠、嘴唇是深一點的灰，皮膚就是白一點的灰。當他笑著逗Tiara說話的時候，全世界的灰色就隱隱滲透一抹緬懷在心中的粉紅，這個男人的愛情，輕易就讓她記起色彩是甚麼一回事。世界已經褪色了，但只要看著他，她的心仍然七色流動。

在天地一片灰暗中，Tiara笑得柔情嬌美。得到愛情的快樂，足以彌補失去的人間色彩。以後，他倆的愛情故事，就有著好萊塢舊電影的淒美。

再昂貴的背景、再華麗的戲服，在銀幕上也只有灰濛濛一片。色調冷淡，但銀幕內沸騰著洶湧的激情。

Tiara垂頭望向自己的裙子，她記不起這一襲是綠色的還是藍色，她亦沒興趣知道。她只稀罕拿破崙愛她的心是否依然灼熱火紅。

眞是來不及高興。如此，便適應了一個看不到色彩的世界。

Tiara看著鏡中的自己，自覺美如一具銀灰色的瓷器。

她也發明了一個新玩意。她把一些小字條藏在莊園各處，讓拿破崙尋找。起初，拿破崙對此玩意不感興趣，平日事務繁重，又要兼顧新婚的奧地利公主，他不認爲男人的精力應浪費在這種小事情上。但自第一張小紙條映入眼瞼後，他卻像著了魔那樣，沒間斷投入在這遊戲中。

拿破崙找到的第一張小紙條就是放在他書桌的抽屜內，Tiara以淡紫色緞帶綑縛著。拿破崙把緞帶拆開來，小紙條中，有Tiara的墨水筆字跡：『原來，天長地久是這樣一天一天加上去。』

本來有正經事要辦的拿破崙，看著這一行小字就愣住了，接下來，心頭震動，久久不能言語。

歐洲最強的霸主爲著這幾個字入了迷，最後更熱淚盈眶。

是的，原來天長地久正是這樣一回事。愛你一天，一天，又一天。

拋下原本要緊的事情，他拿出紙張與墨水筆，回覆Tiara一張小紙條。他寫道：『我的幸福有賴於你的幸福，能叫你高興就是我的榮耀。我的一切都屬於約瑟芬，只有她在身邊，我才會歡樂和幸福。我愛你，我崇拜你。』

拿破崙把紙條摺好，再以滴蠟封上，並寫上Tiara的名字，最後他把心聲放回抽屜內，而

Tiara寫給他的那一張，他就放進一個寶石盒中。她對他說的情話，珍貴一如世間瑰寶。

抱著寶石盒的拿破崙，滿懷感觸地落下淚來。還會有哪個男人比他更幸運？他是最有權力的男人，亦是最被愛的男人。

在這享受著愛情的一刻，眼淚一點一滴地爬下。他沒察覺得到的是，滴在手背上的淚，已幻化作世上最美，亦最堅硬珍貴的物質。

拿破崙看不見、感覺不到。他並不知道，以後每爲Tiara流一滴淚，亦同時候餽贈予她珍愛的禮物。

這個交換紙條的遊戲有一個相連的結果：拿破崙哭完之後，Tiara又哭。她總能在放置愛情之處得回她的愛情。

她把拿破崙的情話按在心房，然後就滿臉感動熱淚盈眶。她嘆了一口氣，繼而一邊哭一邊笑。

還有甚麼更叫人歡樂？每一分愛意，都有人回應。

明知不能長相廝守也留下來，但一切都是值得。

眼淚汩汩而下。但笑容，甜如蜜。

Tiara抹了眼淚，又在放置紙條的抽屜內看到一些東西。在其暗角，閃亮著些甚麼。她伸手一撥，居然發現了數顆鑽石。

完美的切割，通透光亮，每顆重約一克拉。Tiara把鑽石放在手心中。然後，她就驚異得張大了口。

她當然見過鑽石，但只有這數顆美鑽，是如此不同凡響。美鑽與她的手心有著強烈的色彩對比，這數顆鑽石，並不是灰色；閃亮地、晶光璀璨地，它們呈現出鑽石最原本的通透晶亮色彩。

她逐顆逐顆細看。當中有的透著藍光，又有透出黃光與淡紅色的光澤。

當世界只剩灰濛一片，這幾顆鑽石就是她能得到的所有色彩。

『奇怪……』Tiara唸唸有詞，想不出所以然來。

她把鑽石放在一個小保險箱中。保險箱內有其餘的珠寶玉石，但就只有這數顆能綻放天然的光芒。

Tiara把拿破崙的紙條與鑽石放在一起。這點滴的亮光，爲她的灰色世界閃耀出最幻美的迷離。

* * *

戀人間的紙條遊戲一直持續，細細碎碎的，拿破崙的寶石盒內的瑰寶一天一天地增加，宣於紙條上的愛意，澎湃地牢固他倆的愛情。

『炎熱了，但我的心卻爲著太溢滿的愛而顫抖。』

『看不見符咒，看不見毒藥，但你卻爲我每天帶來魔幻。不知中了甚麼咒，至今也會爲你神魂顛倒。』

『我愛你愛得脆弱易碎，只要你說一句不愛我的話，我便會頃刻在你跟前粉碎。』

『瑪爾梅莊處處有你。那些你不能陪伴我的晚上，我還是看到你四處走動的身影。就算你已不是人，我也愛你。』

『當我看著你的時候，我發現你的樣子重疊著我的；當我望進鏡子之內，我就看見我是你了。』

『我這樣愛你，有沒有讓你變得太驕傲？』

興致勃勃地，拿破崙總是滿目晶亮地回應Tiara的愛情，他刻意要她知道，他的愛要比她深上十萬倍。

於是，Tiara會在香檳杯的底部找到這一句：『我的墓誌銘要寫著：「他的一生爲約瑟芬而活。」』

在清晨漂亮的鞋履內，Tiara看到拿破崙的情話：『清晨床上的散亂被鋪，就是昨夜我倆纏綿愛戀的見證。』

Tiara笑著回望仍在床上的拿破崙，他只張開一隻眼睛，俏皮地望向剛醒來便得到驚喜的女人。

在胭脂水粉中，拿破崙的小紙條上寫著：『你又爲我美麗了多少？每一回我看著你的臉蛋，內心都掀起蜜意的波瀾。我願意叫上蒼換給我日漸憔悴的容貌，來讓你日夕美下去。』

Tiara把這紙條鑲在鏡子中，於是當她每次化妝，都盛放出如鮮花一樣嬌美的笑顏。

有時候，Tiara會在拿破崙的紙條附近找到閃爍的鑽石，有時候不。漸漸，她便明白這是慷慨的餽贈。

『但爲甚麼有時候有，又有時候沒有？』Tiara撇起嘴來。『難道這是對我所寫的情話的評分標準？』

她皺了皺眉，忽然爲著情話的感動標準而懊惱。『爲著持續得到高的評分，看來只好一次比一次感人了！』

想到這裡，Tiara就笑起來，她的愛情果然充滿風格，亦非常嚴謹具策略性。就連寫幾句情話，也務必要做到最好。

＊ ＊ ＊

一八一〇年至一八一二年期間，拿破崙都沒參與任何大型戰爭，娶了奧地利公主爲妻後，他的皇權似乎被鞏固了，國外的抗衡聲音聽不見，國內歡呼吶喊聲日隆，國運到達了頂峰。這兩年是少有的安樂日子。Tiara 知道，要談情說愛，就要把握這兩年。

拿破崙心情常常很好，甚多時間與 Tiara 享受閒情。

有一晚，拿破崙捧著很多玻璃小瓶子來到瑪爾梅莊，他要與 Tiara 玩一個遊戲。

他與她坐在大床上，牽著她的手，對她說：『我們玩一個贏大獎的遊戲。』

Tiara 顯得很歡暢。『怎麼玩？』

拿破崙把木箱放到他倆中間，打開來後，就見十多瓶液體，散發著濃郁芬芳的香氣。

『香水！』Tiara 瞪著眼說。

拿破崙糾正她：『是未經提煉的香精。Grasse 地區會發展爲香水重鎮，我國將會成爲香水的最重要輸出地。』

『很好哇，香水，我喜歡！』Tiara 把其中一瓶香精湊近鼻子前，嘗試辨別這香味。『這是……』

拿破崙便說：『對了，這就是遊戲的玩法！我讓你猜猜看這些香精的成分，每猜中一次，就得到一份大獎！』

Tiara 立刻精神一振。『獎品是甚麼？』

拿破崙想了想。『猜中這一瓶的其中一種主要成分，便可以得到……得到……對，得到雪儂的一幢堡壘！』

Tiara 高聲叫出來：『遊戲一開始就是一幢堡壘？好！讓我精明的鼻子試試看。』她把氣味深深吸進去，然後說：『明顯有沉香……也有月下香……』

拿破崙爲她拍掌歡呼：『好厲害的鼻子！的確包含了這兩種成分！』說罷就賞她一吻，然後又說：『我的美人，你多麼令我驕傲，我不得不多獎你一份大禮物！我加送你無限額的修葺堡壘費用！』

『哇！呵呵呵呵……』Tiara 笑逐顏開。『多謝皇上！』

然後，Tiara 又拿起另一個瓶子，這一次，倒要花點時間：『好像是……』

拿破崙鼓勵她：『答中的話，由中國送來的翡翠象棋就歸你所有。』

Tiara 雙眼一亮。『呵，那可眞價値連城……』繼而，眼珠一溜，便說：『是麝香、龍涎香、沒藥其中之一！』

拿破崙暗笑。『多狡猾的答案。』

Tiara 撇起嘴。『人家又不是香味專家。』

拿破崙把瓶子拿過來，看了看瓶底的標籤，然後說：『哈！又給你答中了！』

『哇！呵呵呵呵呵！』Tiara 撲前去抱擁拿破崙。

拿破崙又遞給她另一瓶。『再猜這一個。』

Tiara 細心嗅著那氣味，繼而眨了眨眼，輕聲問：『獎品？』

拿破崙輕描淡寫說了一句：『法國半個江山。』

Tiara 放下瓶子，這樣說：『你對我這麼慷慨，奧地利公主不吃醋嗎？』

拿破崙一臉不置可否。『她懷著的這胎是兒子才算吧！我娶的只是一個肚子！』

Tiara 說：『別太刻薄！多得公主的貴族血統，皇上的寶座才更加穩固。』

拿破崙聳聳肩。『她的血沒流進我體內。我的江山是我打回來的！』

Tiara 暗暗嘆了一口氣。『皇上，如果不是我，你與奧地利公主的感情本可親厚得多。』

拿破崙一臉厭惡。『才不！木美人！毫不知情識趣！』

Tiara 拉著他的手說：『皇上，在那段發生過的歷史中，拿破崙與奧地利公主建立了真感情，反而與約瑟芬的關係就由愛情變成友情。』

拿破崙把眼珠溜向她。『那個約瑟芬受得住嗎？』

Tiara 沒奈何地說：『她與皇上離婚後，日子也頗傷感。』

拿破崙默然。每次Tiara說起另一個空間的另一段歷史，拿破崙都覺得惘然。這一個存活著的空間感覺太實在了，根本想像不到在宇宙的某個角落裡，有另一個拿破崙在製造另一段歷史。

Tiara溫柔地問：『皇上想不想聽聽另一個拿破崙與約瑟芬分手之時的故事？』

拿破崙暗吁一口氣，然後點下頭來。

Tiara望進拿破崙那雙帶點疲累的眼睛，微笑著娓娓道來。『那一晚，拿破崙決定進行與約瑟芬離婚的計畫，他走到他們那偌大的寢室內，以無可逆轉的語調告訴約瑟芬他的安排。拿破崙的態度冰冷但哀愁，約瑟芬臉上的肌肉，隨著拿破崙的說話而顫抖，那心寒的感受，由心坎散發至全身，而眼淚，不受控制地一串一串落下；她一直沒眨眼，僵硬地站著聆聽他的決定、他的解釋、他對她的處置。

說罷，拿破崙便合上嘴巴，並以一個將領的眼神望著他的妻子。忽然，約瑟芬覺得完全不認識這個男人，她不能相信，現實竟然殘酷至此。她渾身一軟，雙腿無力地跪在地上，她伸出雙手抓向拿破崙的衣袖，苦苦地哀求他撤回離婚的決定。拿破崙的雙眼發紅，鼻子已酸，但他還是不得不摔開她的手，並說上著名的一句：「我依然愛著你，但政治是無情的。」

『說完了，拿破崙便步離她。約瑟芬的心就這樣被掏空了，她仰臉輕呼一口氣，接著暈倒地上。拿破崙走到門前，回頭看見躺在地上的她，不發一言步出寢室。他的心也哀痛，然而已無能為力。』

Tiara頓了頓，她為靜心聆聽著的拿破崙掛上一個溫暖的笑容，接著說下去：『約瑟芬大病，連日沒有步出寢室。拿破崙沒探望她，也沒問候她，他要令她死心。後來，約瑟芬病癒，卻還是不肯踏出寢室半步。拿破崙深感哀痛，但一切已別無他法。

『為了消除約瑟芬對復合的幻想，拿破崙決定在約瑟芬死守著的寢室中開始一項工程，他命人在寢室的中央建造一堵磚牆，明確地分隔開自己與她。

『磚塊一件一件加上去，約瑟芬端坐椅子上，木無表情地瞪著眼，見證著一段愛情的殉葬。磚塊已經差不多把寢室分開兩半了，眼看只要在中央的位置補上最後兩件磚塊，她與他的情史便能劃上句號。卻就在最後一件磚塊被塡進內之前，約瑟芬看到，拿破崙就出現在這堵牆之後，他以滿佈紅絲的淚眼凝視他的妻子。約瑟芬訝然，而拿破崙就在磚塊被嵌上之前的一秒，讓約瑟芬看到他臨近崩潰的一張臉。當這堵牆完全被密封之際，就連拿破崙也受不了。』

Tiara把故事說完後，一直細心聆聽的拿破崙把臉垂下來，埋在雙手中。

Tiara輕嘆，如是說：『對比之下，我們是否幸福得多？所以積點福，要感恩，別對公主太殘忍。』

拿破崙沒說話，他的沉重依然。

Tiara上前抱擁他。一經觸碰，悲傷的男人就頹然渙散了。拿破崙掩臉嗚咽：『我不要我們受那樣的苦！不要……』

Tiara溫柔地吻著他，讓他盡情地哭。而奇異地，她感到一些冰冷的硬物點點滴滴擦過她那放於拿破崙頸項旁的手背。她抬眼一看，居然看到了閃亮的鑽石。

一顆又一顆一克拉的鑽石從拿破崙的脖子旁跌滑下來，而他似乎完全察覺不到。

Tiara捧起拿破崙那張落淚的臉，然後，她就發現了眞相：鑽石，是從他的眼眶內一顆一顆淌下來的。

鑽石，原是拿破崙的眼淚。

Tiara驚異得張大了口，但拿破崙只顧著釋放傷悲，沒有留意她的驚愕。

拿破崙說：『我不要活得像那個空間的拿破崙！我不要與你分離！』

鑽石一顆接一顆淚滴下來，Tiara伸出手心盛載著這些奇異而珍貴的眼淚。

當拿破崙以手掩住眼睛，鑽石就由他的眼角飛濺出來。

整個畫面奇幻得令人難以置信。

Tiara拾起了飛墮在床上的鑽石，怯怯地問：『皇上……你哭得痛嗎？』

拿破崙繼續掩面，悲傷地搖頭。他是這樣說：『那個故事教我的心很痛！』

他的神情、他的話語，以及閃亮地瀉下的美鑽，構成了一幕發生在黑白電影中的奇蹟。

鑽石在Tiara的手心中閃亮出幻美的光芒。驀地，她就知道了，這些拿破崙的眼淚，是神人送給她的安慰。

還有誰具備這種餽贈的能力？那名當舖老闆也眞有詩意。

每一次拿破崙爲她落淚，他的眼淚就會化爲鑽石，這些鑽石眼淚就是他的愛，能讓她好好地收於掌心裡。

『拿破崙的愛是寶物……』Tiara的心點點滴滴軟化下來，變成一片羽毛海。

她望向哭泣中的拿破崙，漸漸，這個男人就在她眼前朦朧起來，她也忍不住淚盈於睫。

『呵呵呵呵呵……』她在心中醞釀出笑聲。

『呵呵呵呵……』淚已爬滿了她的臉。

『呵呵呵呵……』不期然的，她就在淚痕滿佈的臉上綻放出極美的笑臉。

『皇上……』她哽咽。

拿破崙輕拭開滿臉閃亮的鑽石，抬眼望向她。

Tiara 激動地說：『感謝你帶給我最令人驚歎的愛情！』

一顆鑽石凝在拿破崙的眼眶，Tiara 溫柔地伸手替他拭走，接著，情深地撲向他。

她手心中的鑽石，給她撒在眞絲床鋪上。鑽石如繁星閃爍在一片銀灰色中，美極了。

伏在拿破崙的懷內，Tiara 盡情地笑著哭。任由世界再灰暗混沌，她也能從他的愛情中得到光亮。她早已要財有財，要愛有愛，但她還是衷心喜歡這種豪華又不可思議的財色兼收。

『呵呵呵呵……』她抖震著聲音說：『以後皇上一哭，我就更富貴了！』

得到愛情，又得著財富，還會有甚麼更叫女人稱心。

拿破崙已經不再哭。眼紅紅的他捧起她的哭泣臉龐，對她說：『只要留在我身邊，無論我哭或笑，你都一樣要風得風。』

她撇起嘴來，表情夾在哭與笑之間。『我知道，再沒有女人比我更幸福。』

拿破崙說：『我就要你永生永世擁有無人可及的豐足。』

就在這片天堂的最高處，Tiara 整個人也飄飄然。她合上眼，輕呼出夢一樣的嘆息。

他說要給她生生世世……

她就沉醉在他的話語裡。雖然明知道，所謂永恆，也只是不多的日子……

＊　＊　＊

奧地利公主的肚子日隆，日曆上的日子撕掉了一頁又一頁。Tiara像個幸福小女人那樣花團錦簇地生活。那些收在保險箱內的鑽石，久不久便又增添。她的男人，愛她愛得熱淚盈眶。

每天清晨起來，望向窗外天際，她都能得到一種灰調的安慰。晨光滲著灰，樹葉上的朝露也是一點點的灰，卻就是這灰色，讓她在每朝醒來也確切知道，自己仍然留在這個擁有愛情的空間內。這灰色的天地反而給她一種安全感。

最壞的事情，就是這句話的出現：『生命有盡……無法長久……』死亡的念頭，是惡魔的話語。

Tiara趕快合上眼，使勁地把這種恐怖攆出腦海之外。

心情的好壞，就取決在這念頭有否無情地走進腦袋中干擾。Tiara努力地不讓自己多愁善感。維持一個愉快的戀愛心情，是她存活在這空間內的責任。

然後一天，當Tiara抱著拿破崙在床上甜蜜地發呆的時候，拿破崙就把小紙條貼在自己的額頭上。紙條上只有這兩個字：『性愛！』

Tiara一看見便狂笑，接著推開他。『你這個淫賤大帝！』

拿破崙一手摟著她的腰，一手握捏她的胸脯，還裝出晦淫的表情，像個色魔那樣說話：

『來！讓我們虔誠地來一場聖愛！』

Tiara尖叫狂笑，又使勁推開他那張臉，『我警告你，明天大主教主持彌撒時，你別像上星期那樣，在我的聖經內放進寫了淫猥句子的紙條！』

拿破崙用力按著她，強橫地吻她的嘴巴，Tiara吃吃笑地別過臉，然後就聽見拿破崙這樣說：『好！那麼我明天放一張春宮圖在你的聖經內！』

『哇！咭咭咭咭咭！』Tiara笑得像個傻孩子。

翌日彌撒時分，這名法國前任皇后的聖經內，放有這一句話：『如果上帝讓我選擇，我死後會更加愛你。』

原本，懷著調皮的心情把聖經翻開，她卻就僵住了。她瞪著拿破崙的紙條良久，沒表情、沒言語。

心內甚至空空洞，甚麼感想也說不出來。

接下來的整場彌撒，Tiara都蒼白木然。

拿破崙與現任皇后奧地利公主並排坐於最前方，他偷偷向後十排的位置望去，也爲著Tiara那冰冷如雕像的神色而悵然。

還以爲她身體不適。想不到，紙條遊戲就從這一天結束。

拿破崙再找不到Tiara隱藏的愛意。他留了言，她也沒回覆。她甚至藉故與侍女往鄉間小住，整個星期沒回瑪爾梅莊城堡。

Tiara不發一言。從鄉間回來後，她就在寢室的床邊發現了拿破崙的小紙條。他說：『一想到我的約瑟芬可能不再愛我，我就肝腸寸斷，連血液都凝住了。悲傷得連憤怒和失望的勇氣都沒有。』

Tiara頹然坐於床畔，那握著紙條的雙手漸次顫抖，眼淚一串一串地淌下，最後，她的嘴唇也震抖了。當唇的兩邊掛下來之後，她就失去抑壓的力量，狠狠地崩潰，淒厲地嚎哭。

哭聲如鬼魅般低沉淒酸，斷續但又漫長。綿綿地，她邊哭邊說：『你知不知道，是我比你更早死……』

『我死後當然會更愛你……』

『是我比你更早死……』

『我比你早死……』

『我會更加早失去你……』

『我們並沒有四十年的將來……沒有……』

『沒多少年後，我們便要死別……』

『我會失去你……』

Tiara哭得臉容變異，愴痛得呼吸不了。她的上身不住地搖晃，雙手悲痛地掩住臉容。而拿破崙的情話，無助地飄落在她的腳畔。

『很快很快，我便會失去你……』

爲甚麼這個男人要說及死亡？他不會知道，這對於看通天機的女人來說，是多麼殘忍的事。

這些日子以來，每當想起自己會較拿破崙早死，Tiara的心都會一碎再碎。

Tiara愴痛地托著額頭。自上次彌撒之後，她一直忍耐著，不去想也不要自己哭。這夜只因他留下的情話，她便如缺堤一樣崩潰破碎。

她一邊抹著眼淚一邊以顫抖的手寫下她的最後一張紙條。她說：『無論走到何處，愛，都只得一個名字。而在那裡，我們的天堂定會給予我們更多。』

放下筆，一抬頭，她便看到鏡中那個奇妙的自己。在被眼淚淹沒的臉上，掛有一抹燦爛如日光的笑容。

她的肩膀已微微地抖動。她愈要哭，那笑容就愈燦爛，就如傾盆大雨下有猛烈陽光那樣迷離。

Tiara按住心房嗟嘆。她對著自己的容顏搖頭，算了吧，那笑容太強太美，眼淚怎樣流也蓋掩不住。

她伏到梳妝檯上，以手擋住鏡中的臉。喃喃自語地輕說：『別再哭別再哭……心再傷，我也只能有一張笑著去傷感的臉……』

不哭了不哭了，但心仍舊痛得如千石壓聚。

『拿破崙，我只能與你笑著說再見。』

這個笑著哭的女人，上演著一齣堅強的悲劇。

* * *

自此，Tiara就在莊園的人工湖上養天鵝，高傲、貴氣的天鵝一雙一對於湖上恩愛著。她對拿破崙說：『天鵝是結爲終身伴侶的動物。』

拿破崙對禽畜沒太大的好感，卻依然順著 Tiara 意，讚美幾句：『牠們一定很有靈性。』

Tiara 笑起來，把手中的麵包拋到湖面上。

拿破崙清了清喉嚨，問：『爲甚麼我不再找到你的紙條？』

Tiara 轉身，順勢挽住拿破崙的臂彎沿著湖畔步行。她輕描淡寫地說：『情話傳得多，人就容易多愁善感，我不喜歡那樣子。』

拿破崙揚了揚眉，沒她奈何。『總覺得你怪怪的。』

三月的氣溫仍然滲著寒意，Tiara 拉了拉衣領，與拿破崙靠得更緊。『公主的孩子快出生吧？皇上該冊封他爲羅馬王。』

一想起輝煌的霸業後繼有人，拿破崙便喜不自勝。『哈哈哈！天上有上帝，地下有拿破崙！』

Tiara 讚頌他：『皇上比凱撒大帝更偉大。皇上的名字將會流傳至最遙遠的世代。』

拿破崙停步下來，問她：『在你來臨的世代，人們仍然崇敬我嗎？』

Tiara 點頭：『皇上就代表了英雄氣概。』

忽然，拿破崙的心頭醞釀一種不知名的茫然。他問：『告訴我，我的基業可以生生世世傳下去嗎？』

Tiara 微笑，選擇這樣說：『英雄是長存的。』

拿破崙接受了這個答案，然後便不再多言。對於自己的將來，一代英雄從來無懷疑過自己的實力。這個男人勇猛無比、自信滿懷、從不相信會遇上失敗。他絕對是那種深信憑一己之力便能改變世界命運的人。

Tiara當然明白他。她看了他一眼，然後這樣說：『我只想皇上知道，無論如何，我都深愛皇上，亦感謝皇上讓我去愛。』

拿破崙覺得窩心。他吻了吻她的額頭，繼而說：『我早說過，我的幸福依仗約瑟芬的能力，約瑟芬給我幸福，我便幸福。』說罷，他便以燃燒著火焰的明眸凝視他愛著的女人。

Tiara感嘆。『我從沒看過更會說話的眼睛。』

當拿破崙正沾沾自喜之時，Tiara更說：『二十世紀有一種令人瘋狂的職業：電影明星。演員的臉孔以數十倍的影像放大於銀幕上，而成功的電影明星，都像皇上一樣擁有會說話的眼睛。』

拿破崙笑著問：『那麼，以你來臨的世代的標準來說，我稱得上英俊嗎？』

Tiara皺了皺眉，啼笑皆非。『這件事一定對皇上甚爲重要。』

拿破崙裝出很緊張的模樣。『難道你們覺得我長相可笑？』

Tiara故意顧左右而言他。『英雄……還是功績緊要。』

拿破崙戲劇化地以雙手按住胸膛，高聲叫嚷：『我心碎了！』

Tiara忽然非常誠實。『皇上只是遜於身高。』

拿破崙雙手放在背後，嚴肅地向前走了數步，繼而回頭望向她，語調非常認眞：『你知道我最討厭人談論我的高度。』

Tiara才不怕他。她走前去，挽住他的手臂，如此說：『還有討厭別人談論你的半禿頭、大肚腩、古怪的戴帽子方式。』

拿破崙不怒反笑。他瞄了瞄Tiara，這樣問：『你那奇怪的世代有方法使人增高嗎？』

Tiara告訴他：『我們的男人會植髮、減肥，但增高嘛……』

拿破崙聳聳肩。『算了吧，我也無須太過完美，我現在已算人中之神。』

拿破崙仰起面，高傲得不得了。

Tiara瞅了他一眼。『枉你不臉紅。』

春天的泥土散發著綠草萌芽的氣息，這一天，他倆心情實在好。他們一直散步到玫瑰溫室內，然後拿破崙就忽發奇想。『既然你可借助奇異的力量活到我的世紀來，有沒有可能借一借力，讓我永保精壯地一直活下去？然後，我便可以去到你的世代好好了解。』

Tiara只好說：『我們會隨既有的歷史終結。』

一說起這種話題，Tiara的心就沉重起來。

拿破崙察覺到她面有異色，於是便折下一朵玫瑰，風度翩翩地送給她。『我的愛人，』他說：『別擔心我們的將來。我既然有改變世界的能力，我也有改變我倆命運的能耐。』

Tiara怔怔地望向他，剎那間以爲他已得悉些甚麼。

拿破崙說：『有我在，我倆定必長命百歲，基業千秋鼎盛。』

Tiara接過玫瑰，笑而不語。

她明白，這個男人只相信人定勝天。

* * *

一八一一年三月，奧地利公主爲拿破崙誕下承繼者，拿破崙欣喜地冊封兒子爲羅馬王。

以往，拿破崙都只能藉著無止盡的戰爭來維持統治，他平民出生的背景令他無法得到歐洲諸國的認同。娶了奧地利公主爲皇后，又誕下帝國承繼人之後，拿破崙的統治權得以暫時鞏固。但在一八一二年，大型的戰爭又再爆發，拿破崙不滿意俄國不徹底執行大陸封鎖政策，俄國亦不滿拿破崙協助建立華沙大公國，於是，兩國在六月展開戰爭。

Tiara像以往那樣，喬裝成軍人陪伴拿破崙從軍，而拿破崙這一次對她說：『不出三個月我們便能戰勝回國！』

氣勢如虹的六十七萬拿破崙大軍對抗俄國的二十五萬陣容，拿破崙的軍隊有領先之勢。但俄國的軍隊一直避免正面交鋒，採取引拿破崙進入俄國內陸的戰術。三個月之後，拿破崙率領十萬兵馬進駐莫斯科，卻意外地發現整個首都都在熊熊烈火中燃燒。

拿破崙與Tiara住進俄國沙皇的克里姆林宮，耐心地等待俄國求和。俄國把心一橫盡毀首都的建設，目的是寧願自毀，也不把好處留給敵人。拿破崙明白對方的用心，但他在這片頹垣敗瓦中，仍抱著勝利的雄心。

他對Tiara說：『他日俄國投降，我就把克里姆林宮送給你，命名爲約瑟芬。』

Tiara頭戴俄國式樣的皮草帽子，笑著向皇上道謝，又興致勃勃地拿著數位相機拍攝這裡的異國風情。然而她心知肚明，這一場戰爭是拿破崙霸業的滑落點。自此，他將會元氣大傷。

滯留在莫斯科的數個星期中，糧食供應日漸短缺，嚴冬又將至，但拿破崙仍然氣定神閒，常與Tiara談笑。『他日老去之後，我們把莫斯科變成我們的行宮，夏天就來避暑，每天吃最新鮮的魚子醬。』

Tiara皺住眉笑起來。『皇上連續兩小時都在說著美味的食物，想必是肚子呼喚得太強烈。』

拿破崙伸了伸懶腰，接著肚子果然就鳴鼓大叫。

Tiara咭咭咭笑，挽著他的手臂與他並肩步至露台上。眼下一片滿目瘡痍，久燒不熄的火焰，在整整兩個星期過後仍然冒著濃煙。拿破崙感嘆：『他們燒盡千萬家財，再以萬里灰燼來歡迎我。』

Tiara苦笑。『我寧願他們煮一鍋羅宋湯還更物輕情重。』

拿破崙長長嘆了口氣，肚子又再飢腸轆轆。他說：『沙皇投降以後，我要命令俄國工匠每天爲你鑄造一隻珠寶蛋。』

Tiara抿了抿唇。『我比較渴望一隻荷包蛋。』

『哎吔！』拿破崙仰面高叫。『眞叫人受不了！』

Tiara卻很高興似的。

拿破崙望向她美麗的琥珀色眼睛，認眞地說：『如果我們打勝仗，你想要甚麼？』

Tiara想了想，柔情蜜意地告訴他：『我想要一名俄國大文豪爲我們撰寫一本最偉大的愛情故事。』

拿破崙聽罷，立刻滿臉溫柔。『要否告知世人我們的愛情中最迷離動人的眞相？』

Tiara 笑得很燦爛。『當然要啊！我要世上所有人都知道，我們的愛情比人類登陸月球更壯觀。』

拿破崙望向天上明月，表情奇怪地問：『登陸月球？』

『是啊，人類在二十世紀六〇年代便有能力乘火箭登陸月球。只是，怎也及不上我來臨皇上身邊更叫人類驚愕不已。』Tiara 把頭側起來放到拿破崙的肩膀上。『與皇上一起，就有奇蹟發生。』

拿破崙被逗得很高興。『是因爲與我的小仙女一起，奇蹟才降臨。』

然後，拿破崙牽起 Tiara 的手，挨著露台抬眼觀賞月亮，他一邊看一邊說：『那麼，我們的愛情故事該怎樣開始？』

Tiara 說：『當然就是：「在許久許久以前，有一名英勇的國王，極深愛他那名神秘又美麗的王后……」』

拿破崙接下去：『對，那名英勇的國王，極深愛他那名神秘又美麗的王后，愛她愛得整個江山也願意送贈給她。』

Tiara 溜了溜眼珠。『整個江山？故事眞要這樣寫？』

『當然了。你要的，我有甚麼不能給你？』拿破崙輕撫她的臉龐。

她就笑得無比嫵媚了。他說甚麼，她就相信甚麼。

就算眼下的世界再慘不忍睹，但戀人總能信心滿溢地牽著手，擁抱著最漂亮的願望。

在四目交投間，深愛著對方的戀人就情不自禁地擁吻。擁吻沒言語，沒聲音，只有一種靈魂互相融化的契合。

強烈、激情，卻又寧靜地，他們彼此屬於對方。

就是這樣的一種美，教先知似的女人，能夠全部拋下既知的殘酷眞相。忘掉了，全忘記了，有些願望，眞的沒辦法實現。

* * *

到十一月，氣溫冷得令人受不了，拿破崙命人把宮殿內的家具和裝飾全部拆開來焚燒用以取暖，他這才明白，再守下去俄國也不會投降。這一招天寒地凍式苦肉計，成功迫使拿破崙撤退回法國。

受盡飢寒折磨，拿破崙的大軍已潰散不堪。而在撤退期間，俄國大軍不斷偷襲追擊拿破崙的軍隊。在回家的路途上，拿破崙的部屬相繼地凍死與餓死；成功返回法國的士兵，最後只剩下二萬人。

拿破崙在一八一二年度過了一個不可思議地挫敗難堪的聖誕節。然而他卻不相信運氣與光輝就此離他而去，他反過來安慰Tiara：『上帝不會給予一個普通人那樣強大的能力，讓他以鮮血在地上寫下他的名字。放心吧，這個你所信賴的男人，定必會收復他的失地。』

戰果慘烈，但拿破崙敗而不餒。這個軍事天才，仍相信自己滿載實力。

Tiara撇了撇嘴，躲進拿破崙的懷裡。『你知道無論發生任何事，我都一樣愛慕你。』Tiara抬起眼來凝視拿破崙的臉。『皇上，我並不迷信永恆的勝利。』

拿破崙躺在床上抱擁懷中的Tiara，輕輕說：『我當然不希望無休止地戰爭，只是我不能失去曾經屬於我的光榮。』說罷，他就吻了吻她的額角。『尤幸，我知道我永遠不會失去你。』

Tiara的心當下一酸。她合上眼，努力制止快要滾出眼眶的熱淚。

嘴唇快要不聽話了，它激動得灼熱起來。唯有這樣對他說：『吻我吧！』

拿破崙就深深吻在Tiara的唇上，緩和了她唇上的火燙。似乎，戀人總能以美好的吻來解決許多創傷。

當眼淚如暖流瀉下時，她就撒了個謊：『你總是讓我感到太幸福。』

拿破崙愛憐地輕撫她的髮鬢，Tiara卻在戀人間的寧靜中不住的心酸。

不想說，不想去想，但事實就是逃不了，只有她知道，往後的世事變遷，會教她所愛的人如何地失望。他將會失去他的江山，亦同時候會失去她。她實在忍受不了這個男人有任何的打擊與沮喪。

拿破崙怔怔地看著她，伸出指頭拭去她唇邊的淚。她察覺到他的觸碰，她又再一次掛上了那種不可思議的微笑。

『傻豬，幹嗎又哭又笑？』拿破崙不解地問。

她就索性燦爛地笑起來。是的，在往後的日子，她準會每天又哭又笑。

＊　＊　＊

一八一三年，德國看見法軍在上回戰事表現疲弱，於是乘機與俄國組成聯合軍向拿破崙宣戰。起初，征戰於德國土壤的拿破崙獲得小型勝利，但基於大軍只有二十萬人，但敵方有四十萬人，在接著的戰事中，拿破崙也處於困境。只消三天就有二萬人陣亡、七千人受傷、二萬三千人被俘虜，數十名軍醫不眠不休地替數千名士兵做截肢手術。戰地上屍橫遍野，狀況慘烈。

Tiara一直表現沉靜，她與眾軍醫合力搶救傷者。但死傷者實在太多，屍首在萊茵河兩岸堆積如山，得不到救援的傷兵則擠在一起，發出連綿而痛苦的呻吟，淒厲地叫喚死神的降臨。Tiara連日沒有睡覺，頑強地盡一己之力。雖然歷史早定下如此一幕，但身處這種活地獄之內，她的內心是說不出的惻然。她也深知，拿破崙的悲劇已經開始。

有一次，拿破崙從戰場中走回軍營，把精神委靡的Tiara嚇了一跳。他一臉水滴，分不出色彩的Tiara根本看不出那是血還是汗。『皇上……你受了傷！』她慌亂得臉色變青。

拿破崙皺眉，語調並不客氣。『你的眼睛出了甚麼問題？』接著以自己的手袖抹走臉上的汗水和泥濘灰塵。

Tiara舒了一口氣，這樣說：『大概是大炮的聲響大太、又睡得少，所以有點受不了。』

拿破崙心情煩躁。『受不了就不要跟來！』

Tiara愕然，連忙說：『不……皇上……我……』

拿破崙掩住臉坐下來，揮手指使她走開：『你跟來只會壞事！你甚麼都幫不了忙，更要我擔憂你的安危！剛才將士告訴我軍營中了炮火，害我急急趕回來看你！』

Tiara 帶著委屈說：『皇上，我沒事。』

拿破崙煩厭地看了她一眼，這樣說：『你加添了我在戰場上的壓力！』說罷，就別過了臉不再看她。

Tiara 靜默半晌，決定照他的意思辦。她步出軍營，走到軍醫的角落找個位置坐下來。漫天烽火，拿破崙大軍節節敗退，她實在不能強求他會給她一個好心情。

拿破崙的形勢正日漸跌入幽谷。這場戰爭已注定敗陣，殘餘部隊立刻全速撤回巴黎，以防敵軍進攻。在現階段，他只能盼望好好守住巴黎，捍衛他多年建立的功績。

而他的情緒徘徊在亢奮與抑鬱之間。死傷枕藉，一路上屍骸滿佈，每當他騎著馬走在屍骸當中，他總會滿面紅光洋洋得意地說：『我從來不知戰場是這麼的壯麗！』

不到半天，當拿破崙走在另一片頹垣敗瓦中時，忽然又流淚滿面。『我居然走進了世界上最大的墳場！』

夜裡，大軍在荒野間紮營，Tiara服侍拿破崙梳洗就寢，忽然，躺在床上的他睜大焦灼的眼睛，緊緊捉著 Tiara 的手問：『告訴我！告訴我命運將會如何！』

Tiara 的手被弄痛了，於是掙扎摔開拿破崙。『皇上，命運自有安排。』

拿破崙從床上敏捷地彈起身來，抓住 Tiara 的雙臂，使勁地搖晃她。『你是知道的！你只是不肯告訴我！』

Tiara痛苦地搖頭，拿破崙盯著她，愈看愈憤怒，他用力把她推到地上去。他站起來，指著她說：『你根本就不希望我得勝！』

Tiara淒淒地爬在地上，掩臉抽泣。『皇上，你永遠是我心目中的英雄！』

拿破崙的指頭仍然對著她：『你吃我穿我，但居然與其他人一起隱瞞我！』

Tiara哽咽著說：『皇上！我們無法改變命運！』

拿破崙激動地蹲下來，再次抓住她的臂膀。他目露兇光地說：『命運？甚麼叫命運！我拿破崙就是控制命運的人！』

看著他逼視的目光，Tiara的身體不住地抖震，這個男人已經不是她所認識的人，那雙血絲滿佈的眼睛，根本只該屬於瘋子。Tiara實在無法受得住，她的眼淚汩汩而下。拿破崙從怒目中閃出怪異的光芒，他說：『我就是在黑暗中出現的上帝面孔！』

Tiara恐懼得合上了眼睛，不敢再看。

拿破崙的神情亦逐漸變得陰霾，他說：『所以，命運對我來說，一點意義也沒有。』說罷，就仰臉發出狂妄的笑聲：『哈哈哈哈！』

笑聲消散了之後，Tiara才敢重新張開眼睛。她看見拿破崙緩緩地把目光投向半空，這樣說：『我不是貴族出身，我靠雙手把江山打回來，歐洲的版圖都落入我拿破崙的手中。我是這種創造命運完成大業的男人，只有命運聽命於我，我無須聽它使喚。』

拿破崙的語氣漸次收斂，眼神內的瘋狂也跟著消散。他靜默起來，垂下了臉，似要陷入沉思當中。Tiara喘住氣，注視著他的神色。然後，拿破崙慢慢把目光移往她的臉上，對她說：『既然你如此宿命，那麼以後我再也不要看見你。』

Tiara苦苦地彎下嘴角，淒涼得說不出話來。

拿破崙把目光溜向軍營中其他方向，沒再望向她。他疲累頹然地躺到床上，呆滯地瞪著軍營的頂部，沒說話但也似乎沒睡意。在躁狂過後，他就跌入一種令人侷促的沉靜中。

Tiara掩住臉從地上站起來，她看了他一眼，然後決定離開。與拿破崙的多年關係中，最困難的就是這段落，這個男人從來未曾失意過，一旦失意起來他面對不了，而她又立刻顯得慌亂。她一邊流著淚一邊吩咐人爲她準備返回巴黎的行裝，既然她在他身邊幫不上忙，她就決定走得遠一點，她知道，不久之後，有更重要的事情要她處理。

她用力擦掉眼淚，叫自己冷靜下來。如果拿破崙要變狂變瘋了，她就要做理智、不被打倒的一個。

並肩作戰的兩個人，總不成一併倒下來。

＊ ＊ ＊

拿破崙發揮奇異而敏捷的行軍速度，造成一個壯大的假象，成功地嚇退摸不清他底蘊的敵軍。拿破崙大軍在巴黎近郊取得兩場勝利，形勢轉好。他驕傲地在戰場上高呼：『要殺掉我的大炮還未曾鑄造！』『六萬名士兵再加上我拿破崙，就等於一隊十六萬人的大軍！』興高采烈的他不斷喃喃自語：『說甚麼命運！我就是命運！我是拿破崙，只會贏不會輸！』

他坐在烽煙的中央，仰面狂嘯：『戰爭，眞的很美很美！我拿破崙天生下來就是爲著戰爭！』

拿破崙料不到的是，一切只是迴光反照。以往的盟友相繼背叛，諸王只一心要收復被拿破崙統治前的國土。過去的數場戰事中，他亦失去了西班牙、日耳曼人屬地和荷蘭，最後甚至連義大利也落入奧地利軍隊之中。更慘烈的是，巴黎已被聯軍佔領，而他的元帥與部屬亦已相繼向聯軍投降，他甚至無法領兵返回巴黎，只能滯留在近郊的楓丹白露宮之內。國內重臣不再支持他繼續戰事，投降者眾，法軍被迫宣佈戰敗。拿破崙唯一可以做的是放棄帝位。

花了半生建立起來的江山，在連串兵敗之後，他的帝王夢亦完結。

比他早一步到達楓丹白露宮的Tiara一直不獲拿破崙接見。沮喪的男人完全沒興致與他的女人見面。

Tiara計準時候，捧著燭台逕自走進拿破崙的寢室。她看見，深夜未睡的拿破崙呆坐火爐旁不動半分，連月來所發生的事，折磨得他枯乾消瘦，慘淡惻然。

Tiara眉頭一皺，心很痛。

她走上前，跪在他身旁，輕輕叫喚他：『皇上……』

拿破崙看了她一眼，就這樣回答她：『我已經不再是你的皇上。』

Tiara的雙唇抖震，盡力忍住快要湧出來的淚水。『皇上，我們已有多月不相見，我甚爲掛念。』

拿破崙瞪著血紅的眼睛，厭惡地喝斥她：『我已不再是你的皇上！你這個女人完全幫不了我！』

Tiara 咬住牙關拚命的搖頭，而淚水也終於忍不住，一串串地掛下來。

拿破崙指住她說：『你與其他人一樣，只想我死！』

『不……皇上……不……』Tiara 企圖捉住拿破崙的手，他卻狠狠地摔開了她。

拿破崙的憤怒尚未完結：『你們究竟串通了誰？竟然要置我於死地！』

Tiara 哭喊著說：『沒有人想你死！沒有！』

拿破崙再看她一眼，就這樣說：『你甚麼都知道，但甚麼都不告訴我！』

Tiara 痛苦地環抱著自己的身體。『我不說只因歷史改變不了……』

拿破崙一聽便立刻發狂。他以雙手抓住頭顱，高聲狂叫：『我不要再聽你說甚麼命運和歷史！我是拿破崙，我不可以失敗！』

『我是拿破崙大帝！我是拿破崙！』

『我不可以失敗！我是拿破崙！』他發狂呼叫：『呀——呀——呀——』

接著，更一手推開Tiara，奔跑出房間外。Tiara伏在地上搖頭飲泣，有這樣的結局，雖然早預料，但悲痛沒因早知天機而減少。她無法忍受她愛的人落魄失常。拿破崙的江山倒下，並不只是他一個人的哀歌。

就這樣，Tiara 在拿破崙的寢室飲泣了一陣子，然後站起來抹乾了淚，迫使自己抖擻起精神，更在鏡前整理好妝容。如果沒計算錯誤，在這個夜裡，重要的事情將會接踵而來。她走出拿破崙的寢室，拿著燭台沿著樓梯走到地牢的醫藥室。

還未走近，在燭光的掩映下，她看見那個小房間內有一個倒下來的人影。她走前去，在意料之中她看見，那個半躺坐的人，正是拿破崙。他的腳畔放著十多個空置又歪倒的藥瓶；他臉色慘白，沮喪而悲痛。拿破崙自殺了。

Tiara走前扶著他，冷靜地把指頭伸入他的口腔內，然後拿破崙就俯身嘔吐，污穢物濺滿Tiara一身。她沒有理會身上污穢，重複把指頭放進他的口腔，意圖令他把胃內的藥物儘量吐出。

嘔吐了兩次，拿破崙才清醒起來，他虛弱地說：『沒用的……我喝下了最毒的毒藥……』

Tiara聽見了，她絲毫不緊張，甚至在臉上掛上微笑。『烈酒、草藥、茶精，該不算太毒吧！』

拿破崙溜動眼珠望向她，Tiara便說下去：『我一早把醫藥房內的所有藥物換掉。這座皇宮內不會有人服毒成功。』

拿破崙問：『你一早知道……』

Tiara點頭，尋找抹布清整兩人身上的穢物。

拿破崙又說：『那麼你是我的救命恩人……』

Tiara先替他抹去嘴角的污漬，然後告訴他：『也沒這樣厲害，命中注定你自殺死不去。只是如果你依照歷史那樣服了眞正的毒藥，你的胃就從此壞掉。我可不要你的胃不好啊！因爲拿破崙還有機會享受多年的美食。』

拿破崙呢喃：『我注定不會死……』

Tiara撇了撇嘴，說：『是的，英雄注定不會死，因爲英雄有更可歌可泣的事未做。』

希望之光就在拿破崙的臉上亮起來，原來仍然命不該絕。

拿破崙很疑惑。『但我已兵敗如山倒。』

Tiara替他脫去外套。她說：『但我不認爲這算是失敗。你仍有機會做個屹立不倒的英雄。』

拿破崙淒苦地冷笑，從眼尾瞅著她來看。

Tiara吁了一口氣，這樣說：『你知道甚麼是失敗嗎？在失敗跟前變成懦夫就是眞正的失敗。』

拿破崙聽進心內，然後就垂下頭默不作聲。

博學的他讀遍世上所有哲人的書，他怎會不知道英雄和失敗的定義？英雄就是勇於接受失敗的男人；而失敗，就正如Tiara所說，是被壓下來的懦夫。只是，一生從未嘗過失敗的他，實在無法輕易接受今日的田地。他當上過的，都是與失敗扯不上關係的英雄。

一時間，他迷惘得不知身在何方。

Tiara替他每根指頭抹得乾乾淨淨。他看著這個堅強的女人，如是說：『我落魄至此你還依然愛我？』

Tiara抬起那雙美麗的眼睛，回答他：『我選擇留在你的世代，不外是想與你一起，過得一天算一天。』

一股淒然湧上心間，說不出的動容。拿破崙怔怔望著Tiara，霎時間不知如何反應。

Tiara聳聳肩，帶笑說：『我才不在乎你勝了多少場仗、做多少天的皇帝。』

拿破崙訝然地張大嘴巴，而眼皮不由自主地抖動。在Tiara趨前抱擁他的一刹那，熱淚就由他的眼眶滾動下來。

忍不住，他也伸出雙臂抱擁這個女人。而Tiara把鼻尖抵在他的下巴處，伸出手心接著從他臉上滴下的眼淚。

就這樣，悔恨都湧到心頭來。拿破崙哽咽地說：『對不起，這段日子以來，我的不近人情都委屈了你。』

瘋不盡又死不掉，心神反而漸趨清醒。

Tiara輕笑，她才不會放上心。她享受地看著拿破崙臉上向下墜落的閃亮眼淚。眼淚化成鑽石，閃耀在她的手心內。

而奇異地，這一次，拿破崙看得見她手心內的瑰寶。他邊掉淚邊說：『這是……』

Tiara把眼睛瞪得大大，他能看見，她也愕然。她瞪著他看了一會，他的神情如像看到奇蹟般驚訝。然後，她不期然笑起來，這段日子接二連三發生那麼多事，她眞怕他承受不了。

拿破崙看得見他的眼淚鑽石，看來，就連他的靈魂也進步了。

Tiara以指頭承載起他眼角的淚水，那晶亮的小水滴，就在她的指尖上化成鑽石。拿破崙眼睜睜地看著，驚異得張大了嘴巴。

他打趣說：『何方妖法？』

她張開他的手掌，把她手中的鑽石放到他的掌心之內，輕聲說：『你爲我動容的眼淚，就成爲我的瑰寶，你每爲我落淚一次，我就更加富有。世上再沒有別的男人，能給予我這種愛情的魔幻。』

拿破崙仍然不能置信。『這是我拿破崙所做的？我居然能夠化眼淚爲鑽石？』

她揉動那數顆閃閃生輝的鑽石，說：『你看吧，我才捨不得失去你。』

拿破崙把一顆鑽石放到眼前。『我拿破崙果然是女人的金礦！』

Tiara 輕輕推了他一下。『你只是我一個人的鑽石礦！』

拿破崙的愁苦盡消，他爲這幾顆鑽石興奮不已。『我懂得煉金術！我是神仙！』他望了望 Tiara，然後又說：『我不做皇帝了，我改行當神仙！』

拿破崙著迷一樣望著手中瑰寶，忽然間，但覺以往所執迷的一切皆不重要了。他拚死保住的帝位和權力，與閃爍在手中的魔幻相比，立刻就變得微不足道。

Tiara 輕撫他的臉龐，說：『我所愛的男人懂得愛情的魔法。』

拿破崙望進 Tiara 的眼眸，說：『對不起，這些日子以來，我除了我的江山外，甚麼也看不見。』

Tiara 嗟嘆：『俗世英雄皆如此。』

拿破崙搖了搖頭。『我還以爲我是人神共仰，原來我不過是個凡夫俗子。』他捧著 Tiara 的臉蛋說：『又是你，又是你令我知道，甚麼是天外有天。』

Tiara 可人地說：『皇上，我從沒怪責過你。』

拿破崙的心一酸，隨即又熱淚盈眶。他哽咽地說：『是我配你不起。』

這個女人穿越了時間來到他的身邊，她給他的愛情，當然就比俗世的勝利和榮耀珍貴。拿破崙懊悔自己的愚笨，怎麼竟然看不通。

看見他哭，她又想哭了。Tiara長長地嘆了口氣，尚有千言萬語，不知由何說起。她伸手，讓他的眼淚化爲鑽石隕落在她的手心。

拿破崙捉著她的雙手，以灼熱的眼神望著她。『我不再貪戀功名，以後悠悠半生，我都只與你消磨，我不會再容許權力和名聲去剝奪我對你的愛。』他吻向她的額角，又緊緊擁抱她。『放心，我們還有好幾十年，我不會再愚笨，不會再辜負你。』

拿破崙不知道他說中了Tiara的傷心處。他說：『我們還有好幾十年……』

Tiara咬了咬牙，心一痛，就落了淚。

說到別離，再堅強，也忍不住傷心。

拿破崙逗她：『別哭，你的眼淚不會變成鑽石。以後，就由我一個人哭盡兩個人的眼淚。』

Tiara卻心酸得哭得抽搐。在這一刻，有閒心的拿破崙就看到了，哭泣的女人有張奇異的臉，她一直在哭著笑著。汩汩而下的眼淚，如水簾輕掩日光。

拿破崙眉心一皺。靈光一閃，他忽然意會到一種不平凡。

Tiara不肯讓自己哭下去，她企圖伸手從地板上撐起身來，卻冷不防被地上藥瓶的碎片割傷。她下意識地把手伸到眼前，卻又在一秒間分不清哪處是傷口。手腕上有各種污漬、藥水漬，顏色與血液一樣的深，全部都是深深的灰色。

她拿起抹布，向其中一處污漬抹過去，發現那根本不是血漬；再抹一次，也依樣抹不中。

拿破崙都看到了，他問：『爲甚麼你看不見顏色？』

Tiara 咬了咬唇，決定不再隱瞞。『這數年來，我的眼睛都看不見色彩。』

拿破崙訝異極了。『幹嘛不一早告訴我！』

Tiara 嫣然一笑。『你喜歡我那哭著笑的臉嗎？』

拿破崙眨了眨眼，意識到是時候作出心理準備。特別的女人又有了不起的事情要告訴他。

Tiara 說：『我典當了全世界的色彩來換取與你一起面對生命的勇氣。』

拿破崙定睛望牢著她，尚未明白。

Tiara 抹去臉上淚水，笑容純美地說：『我要笑容比眼淚更強。我早知道與你一起會有許多逆境，於是我要自己比從前更堅強，我不要哭，我要笑。就算是哭，我也要笑著來哭。』

說罷，眼淚又再一串串地掛下來，而曼妙地，如蜜甜的笑容同時候泛起。她在世上最昂貴的笑臉上牽動嘴角，對她所愛的人說：『與你一起，我不想浪費任何一秒去流眼淚，無論怎樣艱辛，我要笑出來。』

拿破崙無法掩飾內心的震盪，他上前把她抱進懷中。他把她抱得很緊很緊，他發誓，他要用盡方法去愛她。

就算時移勢易，江山帝位都不在，他也要確保她永世享有皇后的權力。

抱著她，他的聲音都顫抖了。『我不可以負你……我不可以負你……』

拿破崙沒有看到，鑽石已叮叮咚咚地由他的臉龐滑跌地上。

Tiara 趕緊伸手盛載起他的眼淚鑽石。她幸福地笑起來，無論富貴抑或患難，只要愛情仍在，這個男人都能令她財色兼收。

＊　＊　＊

拿破崙於一八一四年四月六日應允無條件退位，他被賦予厄爾巴島的統治權，並須於四月二十日離開楓丹白露宮。

他與Tiara仍有十四日的相處時光，Tiara說服他，此行她不宜一道前往，她會留守在法國。

拿破崙問她：『我唯一想預知的事，就是我會否回來我的國家。』

Tiara堅定地回答他：『一定會回來。』

拿破崙就安心了。

Tiara替他收拾行裝，又對他說：『厄爾巴島上有一萬二千居民，你會在當地有自己的宮殿，他們亦會恭稱你爲皇上。』

拿破崙洩氣。『這簡直就是作弄我的所爲，要我讓出法國的統治權，然後放逐我去一個小島上做皇帝！』他嘆了口氣。『尤幸我還會回來重整江山。』

Tiara揚了揚眉，又笑了笑。然後，她遞給他一部數位相機，這樣說：『想念我時便看啊！』

相機內是一輯又一輯Tiara的照片，當中每一張都笑臉如花。『當你不快樂或失去勇氣時，請看看我的微笑。那是以全世界的色彩交換回來的笑容，這個微笑的力量會幫助你度過任何難關。』

拿破崙按動數位相機，然後說：『還是喜歡看眞人的笑臉。』

Tiara說下去：『電池有一天會耗盡，所以當不想看時，記得關掉電源。』

太先進的科技總叫拿破崙頭痛。他唯唯諾諾，然後就捉著Tiara的手說：『來來，別讓外面的世界打擾我們。』

Tiara望他一眼便得悉他的心意。『皇上，是時候擁抱高床軟枕嗎？』

拿破崙索性抱起她走到大床前，然後雙雙倒到軟綿綿的床上。Tiara笑著尖叫。

拿破崙伸出臂彎抱擁Tiara，她就立刻像頭小貓那樣纏蜷在他懷內。愛人的體香旖旎，她偷偷呼吸這個男人的氣息。

當戀人依偎一起時，世界便濃縮到那相纏的軀體之間。說不出的滿足。

拿破崙問她：『我們一起這些年來，你最難忘的是哪一天？』

Tiara想了想，然後說：『是那一年我們面臨分離的一天。我坐在馬車上，你騎著馬追著我不肯告別，我看著你悲淒的面容，然後我便知道，你離不開我之時，我亦離不開你。』

那個晚上，拿破崙的捨不得，改變了Tiara的命運。

『我一生從未如此勇敢過。而自那一個決定之後，我知道再沒有任何事情可難倒我。』她輕輕告訴他。

拿破崙吻了吻她的鼻子，說：『謝謝你留下來。』

Tiara嬌嗲地撇了撇嘴，問：『你呢？你最難忘的是甚麼？』

拿破崙望進她的眸子內，說：『是那一個夜，你以真身來見我，然後我便知道，無論你是何模樣，我也一樣愛你。』

拿破崙的目光很溫柔，看得Tiara的心陣陣溫暖。她深呼吸，接著把自己的胸膛貼著他的，又用手臂緊緊抱住他。

拿破崙問：『幹甚麼？』

她告訴他：『我把我的心貼近你的心，看看要貼得多近，兩顆心才會重疊。』

這樣的情話聽得人如痴如醉。拿破崙笑得很快樂，他著實愛死了懷中這名嬌俏的情話高手。他輕吻她的指頭。『你要我們兩心分不開來？』

她點了點頭。『我們要分享同一個心、同一個靈魂。』

他嘆了口氣，問她：『我憑甚麼讓你這麼愛我？』

她拍動長長的睫毛，這樣說：『是因爲你給我的愛情。』她趨前去輕咬他的鼻尖，說：『再沒有別的人會這樣愛著Tiara。』

拿破崙默默無語地望著她。她再說：『所以Tiara一生都感激。』

細細的感動如小蟲爬滿拿破崙的心坎，他說：『你再說下去，我便會落淚。』

Tiara瞇起眼睛微笑，以雙手捧著拿破崙的臉，她問：『那麼，你說說你又愛我甚麼？』

拿破崙的目光溢滿著愛。『我愛你是個特別的女人，你總叫我無比的驕傲。』

Tiara笑得很嫵媚。『男人，你很虛榮。』

拿破崙說：『要成爲我心頭的一骨肉可不簡單。』

Tiara吻向他的鬚根。『爲了得到你的愛，做甚麼都值得。』

拿破崙捉住她的手，深深地凝視她：『答應我，讓我們相依到老。』

他說得很認真，那並不只是一句戀人間的悄悄話。她瞪著眼，剎那無言。

他牽動了她心頭的波瀾，她唯有急急合上眼睛。

他仍在說下去：『你能夠想像數年前我的心情嗎？我完全不能接受你要返回你的世界去，每當我想到你要離我而去，每一次，我的心也會碎一碎。』

不……Tiara在心中低叫。

淚水已打滾在眼瞼之內。

拿破崙說：『我們一定要依戀到老，我只能接受這樣一個結局。』

她的鼻頭發酸，強忍住淚。

她深呼吸，張開眼來，以低沉的聲音告訴他：『我答應你。』

『答應我。』拿破崙說。

他就滿意了，強壯的手臂抱得她很緊很緊。

她咬住抖顫的雙唇，迫使自己無論如何不要哭出來。他愛撫著她的背，得到她的應允，他如願地滿足。

她把眼珠子使勁翻向眼瞼，這樣子眼淚就能倒流。

然後她就想，幸好這個男人再細心也聽不出她剛才在聲音中的心碎。

* * *

一八一四年四月二十日，拿破崙在楓丹白露宮發表了辭別言：『結盟列強一致聲明，拿破崙皇帝是重建歐洲和平的唯一障礙，信守誓言的拿破崙皇帝，宣布他本人與他的諸位繼承人，放棄法國和義大利的王位。』

拿破崙與他的部屬全都心情激動，他走向禁衛軍，親吻精銳部隊第一團的旗幟。奧地利公主與兒子選擇返回奧地利，拿破崙此行的同伴是他的母親、妹妹和六百名法國士兵。

Tiara被允許在庭院中與拿破崙話別。他倆最後一次以宮廷儀式行禮。Tiara打扮得清麗雅致，精神亦不俗，她以清爽愉快的笑容向拿破崙告別。佳人若此，拿破崙看著，心便安然。

他倆相視一會，然後Tiara便說：『皇上謹記我的說話：當你失意時、不快樂時，請記起我的笑臉。』

他握著她的手，親吻她的臉龐。『我的皇后，我會記著。』

繼而，她說：『皇上，謝謝你愛過我，我的一生全無遺憾。』

說罷，笑容就如繁花盛放在她嬌美的臉容上。

看得拿破崙心蕩神馳。

世上最美，也不外乎是她。

帝位再強盛，江山再宏大，他戀戀不捨的，也只是她。

就算要殺頭，他也忍不住要說出來：『你就是我的十字架，我願意被釘死在你身上。』

站在不遠處的敵國統帥聽到拿破崙的說話，也禁不住擠出竊笑的表情。聽著的Tiara，更索性仰臉呵呵嬌笑。

就算不能纏綿，也不放過花言巧語的機會。

笑過後，她便從眼角濺出了淚水。

她並不想流淚，她討厭淚水模糊她的視線。拿破崙的臉，眞是看得一眼算一眼。清清楚楚的，她要他每分輪廓也烙入她的心坎。

拿破崙看得見她的眼眸內有星光，他也不想她哭著話別。於是他就趨前去，在她耳畔輕輕說：『你要等我返回法國。』

Tiara大大地吸了一口氣，彎下嘴角點下頭。她出盡全身氣力強忍著眼淚，縱然整張臉已通紅了。

她回答他：『我會在瑪爾梅莊等你。』

他滿意極了，伸出雙臂緊緊擁抱她。

她合上眼，嘗試被他的擁抱融化。也只有融掉在他的臂彎內，她才不用離開他。

* * *

起初，拿破崙在厄爾巴島的生活尙算愉快，他很認眞地指揮他這個小小王國，又爲母親和妹妹建築一所小宮殿。他對每逢在恭稱他爲『皇上』之後便竊笑的敵國監察員也不存惱意，他只一心希望找個好時機返回法國與Tiara重聚。

不能相見，便只好寄情於信箋中，每一封寫回法國的書信內盡是綿綿情話。

『有人問我睡得可好，我必先要接到你的來信，向我保證你也休息得好……

『我常常凝視數位相機內的你。一樣的面孔，一樣的姿容，只可惜，照片拍攝不到你眼中燃燒的火焰……

『我曾是法國人民的信仰，但自我別後，他們還可以信賴些甚麼？相較之下，我是更幸運的一個，起碼，我還有你作爲我的宗教……』

而Tiara的回信，就成爲這名小島皇帝的隨身瑰寶，不論走在島的何方，他都把她的信箋袋在身上。

Tiara在信中告訴他：『雖然天空只是灰色一片，但每次我抬眼望向天空時，總覺得我們與天是多麼的接近，這片天把我和你又連在一起了，我們都站在同一片天空之下，好好地想念著對方……

『其實，我多麼喜歡讓你想念我。如果你有留意，每次我倆的約會，我總要讓你等待上十五分鐘才出現。我寧願冒犯你，也希望你能再想念我多些……

『我常常把玩從你的眼淚幻化而成的鑽石，然後我就想，鑽石之所以矜貴，就在於無人眞正需要它，它的存在純粹是一種奢侈。而我的幸福，就是享受著無窮無盡的奢侈。奢侈得太過分了，遲早一天法國的臣民會爲著我所享用的奢華愛情而憤起革命……』

在最後一封傳到拿破崙手中的書信內，Tiara寫道：『如果一個愛情故事有開始、中段、結束……那麼，我們永遠不要完結它。』

拿破崙反覆閱讀Tiara的信，當讀到感動的句子時，就索性背誦它。然後，他會想像Tiara寫信時的心情，想到她的愛、她對他的思念，他就很滿足。

小島的氣候溫暖怡人，當個小島皇帝，其實也滿豐足。

馳騁戰場多年，也難得有閒情欣賞夕陽。在小島上，生活調子舒適地閒下來。

就在一個明媚的清晨，拿破崙在半夢半醒間，感覺到身邊有一陣暖。

他張開惺忪的睡眼，驚奇地發現Tiara伏在他的枕邊。她的臉龐枕著手臂，下半身則蹲在地上。她眨動嫵媚的琥珀色眸子，甜蜜地對拿破崙說：『很久沒看過皇上的睡相。』

拿破崙望進她的眼睛內，剎那間就入了迷，四周都朦朦朧朧的，柔美純善，美麗得不能言喻。

她更加美得如同童話中的公主，那張抬起來凝視他的臉，鮮嫩、清透、晶亮。

『啊……』拿破崙就在心中感嘆。他所愛的女人，居然美如仙子。

Tiara的微笑就是世上最溫柔的海洋，拿破崙在不知不覺已飄盪於內，無重的、輕盈的、心蕩神馳的。

浪輕柔，富節奏感地蕩漾。他悠悠然地合上眼，進入了一種催眠般的擺佈狀態。

啊，這片海溫柔得令他逐漸失去意識。

忘記了自己……軀殼無聲無息地碎裂，如泡沫沒入海洋中……

如若不是晨光刺進眼瞼，他也記不起要給她回話。

他張開眼來，立刻就看到她那張美麗又快樂的臉。忍不住，他也從心底快樂起來。

他望著深愛的女人，如是說：『我也喜歡看約瑟芬的睡相。』

Tiara聽見了，俏臉上的笑容就更形燦爛，純美又繽紛，猶如天地初生般令宇宙驚艷。

美……美……好美好美……

Tiara以溢滿愛的眼睛凝視拿破崙，然後說：『那麼，我永遠當個睡寶讓皇上看，好不好？』

『睡寶……』拿破崙呢喃。

Tiara輕輕側起頭，神情脫俗清麗得令凡塵盡失色。

『啊……』拿破崙爲著這一刻的美深深嘆息。

還以爲可以繼續迷醉在這美麗之內。驀地，Tiara的神情卻刹那間愕然起來，在接下來的一秒，她的臉就在拿破崙跟前淡褪隱沒。

拿破崙意圖叫住她。卻就在瞬間，上天下地迴旋倒轉，再以不可思議的速度收縮沒入在他眼前，消散得不留痕跡。

『呀……』教他茫然到不得了。

不情不願地，他張開眼睛。同樣的房間，同樣明媚的晨光，只是人不在。

南柯一夢。

作夢的日期是一八一四年五月二十九日。這個夢特別值得留戀，拿破崙頹然躺在床上，極之捨不得。

他回味著夢中的美與愛意，恨不得返回夢境之中。

而漸漸，數星期過去了，當拿破崙開始忘掉這個夢時，他就收到從法國而來的公函。他們告訴他，前任法國皇后約瑟芬就在他夢見她的同一天逝世。

* * *

拿破崙離開楓丹白露宮之後，Tiara 就返回瑪爾梅莊城堡。她只餘下三十九天的壽命。

她與眾助理整理好約瑟芬需要的文書記錄，當中包括二百五十種瑪爾梅莊內所種植的玫瑰的名稱、生長特徵，又請畫家回來給每一個品種的玫瑰繪畫形貌。

她爲約瑟芬所擁有的珠寶作出分配，哪一個類別留給博物館，哪一些以遺囑形式作出餽贈。她命人爲書庫編製好一萬二千本藏書的目錄；又把衣物分門別類送贈適合的人。她著人記錄城堡內每一件擺設的位置，她知道這裡將來會成爲人們緬懷拿破崙與約瑟芬的地方。Tiara仔細地以約瑟芬的身分將該完成的事準備妥當。

心情倒是平靜。這名嫻雅的前任皇后，常常獨自微笑。那微笑適然、看通世情、心滿意足。算起來，這可說是自變成約瑟芬以來，Tiara首次百分百面對自己。過去接近二十年，她每一天都爲著和拿破崙的愛情而活，如今，她才有閒心全心全意爲著自己。

生命將要完結了，該要做些甚麼？

必然要做的事她已爲約瑟芬準備好了。餘下來的，就全是Tiara愛做但又不必非完成不可的事。當中包括：列出愛吃的食物，然後盡情品嘗；穿上以往渴望穿上但未有機會穿上的華衣；想懶床就懶床；命廚師嘗試烤製廣東燒鵝；教下屬品嘗魚生的鮮味；偷偷到叢林中睡一晚；裸泳；誠懇地讚美每一名下屬，並且給予紀念品；特意栽種一株樹，然後囑咐別人好好灌溉，並命名它為約瑟芬……

事情都辦完之後，她就坐下來微笑。原來，死亡都可以是非常忙碌的事。

她亦開始仔細記著這世代的每一項細節，譬如侍女為她穿衣的程序；每逢黃昏下人分散在城堡中每一個角落點燃蠟燭的舉動；以鵝毛筆書寫後清理手指上的墨污的煩瑣；為皇后而設的便筒；三名侍女每晚為她的浴盆注滿熱水的殷勤；原始而天然的護膚產品；差勁的牙齒護理；煮食時每家每戶屋頂上的炊煙；美輪美奐的馬車；駿馬上的羽毛裝飾；精美巧究的手製鞋履；患近視眼而需要利用放大鏡的男男女女；歌劇的時髦特質；羽扇；化裝舞會；書信通訊；佩劍；女士的乳溝；香檳；從波斯而來的寶石；長長的手襪；軍服；詩篇；莫札特、貝多芬的曲子；小型的音樂會；雜技藝人；大炮；皮水壺；肖像畫；女士的刺繡；軍人的襟章；玉桂；紳士淑女的禮儀……

Tiara 會懷緬這世代的一切，無論精緻抑或粗疏。這是一個她甘願逗留良久的年代，她愛上了拿破崙之餘，也愛上了這個時代。

她照樣舉辦宴會，但拿破崙也下台了，她的宴會只可以是小型的。她特別留意賓客的每個表情動靜、每句說話，他們的見識可能比二百年後的人為少，但智慧一樣不差。而當然，無論是哪一個世代，也人心難測。她發現，兩心相通的，只有是彼此相愛的人。一萬年前又或是一萬年後，真理不會改變。而她的心，繫於拿破崙之上，只要他在，要她活於哪個世代也無相干。

Tiara 舉杯：『為這個世代！』

其他人一同附和：『為這個世代！』

一飲而盡。她爲了她豐盛的生命乾杯。

當然，最重要的餞別是向鏡中的女人作出道別。赤身相向，Tiara對著鏡子說：『我最要感激的是你。世界上的女人，太少有幸似我，活得全無遺憾。』

這個借來的身軀，Tiara熟悉得不得了，哪一種坐姿會引發皺皮肚腩；怎樣的眼神最輕易叫別人感動；而當手臂提在半空的時候，就使修長的約瑟芬更添上希臘女神高雅尊貴的豐姿。

『謝謝你，你成全了我的人生。』

她對鏡微笑，那微笑眞摯、溫暖、感恩。

約瑟芬，眞是一名可敬的女人。

『因爲你，我才有機會當上一名一百分的皇后、一百分的伴侶、一百分的朋友、一百分的情人、一百分的女人。』

她望著自己，嘴唇顫抖，不知不覺間就激動起來。深呼吸爲自己擠上一個燦爛的笑容。長長的睫毛拍動後，眼角就閃亮出幸福的淚水。

『因爲你，我甚麼都有。』

熱淚由臉上爬下。

『而我，不獨無辜負你，更爲你活得圓滿。』

她輕拭淚痕，柔聲說：『還有甚麼更値得微笑？』

淡淡的鹹味滲入唇邊，她帶笑說：『我完成了史無前例的艱辛任務，而我做得很好很好。』

Tiara爲約瑟芬的胸脯撲了點粉，又替她在脖子上掛上一個寶石香球，她對待這副身軀就如對待一個鍾愛的洋娃娃那樣，疼惜的、愛憐的、細緻的、小心翼翼的。

世上戀戀不捨的，除了深愛的男人之外，就是鏡中的那個女人。

Tiara說：『約瑟芬，我愛你。』

話未完，眼淚就如缺堤湧出，她掩住臉，爲心中的不捨嚎哭。『約瑟芬，我不忍心別離你……』

『是你……是你賜給我所有……』

『沒有你，我甚麼也不是……』

『謝謝你存在過，約瑟芬……』

當雙手由臉上挪開的時候，Tiara就看見哭泣的約瑟芬有多美。眼淚如垂簾掛下，但眼皮不浮不腫，只是略略沉澱著血的色調；鼻子只是微紅，並沒因哭泣變得可笑；嘴唇厚重起來，看上去反而更性感；而臉龐因充血而滲出一抹桃紅色，她雖看不見色調，但也記得起每次哭泣之時，她是格外的紅粉緋緋。

怎樣才算美人？哭得脫俗清麗的才有資格。Tiara定定地望著鏡中反映，很快就決定不哭了。還哭甚麼？歡笑吧！哪有女人好命得就連哭泣也可以傾倒眾生？

能夠當上約瑟芬，眞與中了巨獎無異。整件事，簡直就是天堂遊戲。

眼淚爬在燦爛地向上彎的嘴角上。與鏡中人四目相投片刻，Tiara便忍不住狂笑：『呵呵呵呵呵！』

『呵呵呵——』

如果狂笑不是這樣費力，Tiara不介意笑死。

拿破崙安頓在厄爾巴島沒有？Tiara笑得掩著胸膛喘氣。她但願他此刻在她身邊，她實在太想與他分享她的快樂。

世間再沒有誰，能這樣歡樂地面對死亡。

『沒辦法，太好命！』她也忍不住說。本來還意圖感性地面對死亡，然而愈想得深，就愈爲自己高興。Tiara發現，居然就在臨近死亡之前，她返回了那個年輕又不識愁滋味的歲月，那時候，她每天也能發出自信過剩的呵呵呵式笑聲。

那個來自東方的Tiara，就與成熟老練、萬人之上的Tiara重疊起來。想不到，開始與結束是這樣的相遇。

她與拿破崙的書信往來從來不是一問一答的回應形式，她想到要說的話便會寫下來，有時候一天一封，有時候數天才一封。拿破崙的做法亦一樣，他喜歡在有閒心時便與她分享感想。

這一天，Tiara又收到拿破崙的信，這一封是這樣說：『那一天，我告訴你我爲你把月亮拉近到我們的露台跟前，你就歡天喜地抱著我嬌笑。我看著你的樣子，你眞的好像完全相信我的說話，純眞地狂喜。我抬眼看著我們的月亮，它其實只比往昔光亮了……

『又有一次，我送你一套珍珠首飾，你就快樂得團團轉。但你已擁有無數奇珍了，一套首飾其實算得上甚麼……

『我以你的名義支持藝術發展成立贊助基金，你就自那天起不眠不休爲我實行這項計畫。到事情落實之後，第一批藝術家得到資助了，你在發表講辭時就欣喜得泣不成聲……

『在我的每段回憶之中，你完全沒令我有一絲失望，你總是熱情和快樂地接受我對你所做的每一件事，事無大小，彷彿只要是我爲你做的，你都立刻回報我更多更豐盛的愛。

『然後，我才發現我那麼愛你，原來是有理由的。因爲親愛的約瑟芬，你總是那麼願意讓我去愛你、討你歡心、令你快樂。

『你就是有這樣的魔力，令一個男人愛你愛得很有自信、很放膽、很盡興。

『每一次，我設計讓你開心後，你立刻就能令我更開心。於是，我身爲你的男人，只好源源不絕地愛你更多，因我知道，我只要好好愛你，我便會比你更快樂更心滿意足。

『約瑟芬，謝謝你送贈了我這些享受和幸福，是你教會了我何謂相愛的藝術。現在我一有機會，便向島上的女性訓話，叫她們向我的約瑟芬學習，如何使愛情更美。

『約瑟芬，你是個成功的女人。』

閱畢Tiara就抽了一口氣。她把拿破崙的信箋富節奏感地在半空揚著，這樣說：『實在了不起！多棒的女人，你簡直贏了全世界！』

金光閃閃的魔法晃動於半空。這個懂得愛情魔法的女人更是趾高氣揚，也不面紅，她無法不爲自己感到驕傲。

哪個女人在回顧自己的一生時，可以得到如此高分數？Tiara推開露台上的木門，陽光就白刺刺地射進來。生命將盡，她站在陽光下，潔淨又安然。

沙漏倒數著餘下的時光，Tiara置身地球上其中一個最富麗堂皇的角落，悠然微笑。金雕玉砌的景致、穿不盡的綾羅綢緞、滿足得無法苛求的人生。Tiara擁有過的，代表著一種鼎盛。

她以極美的心情迎接一切的結束，唯一憂心的是拿破崙會因此事而太傷悲。如要悲哭，是爲著他的痛，而不是她；若說尚有不完美，就是比他早死。

她知道他的傷悲是何模樣。想到這裡，心裡一酸，喉嚨哽咽，刹那間如鉛錘沉重。

『拿破崙，我掛念你……』她把他寫來的信按在心房，翻滾著的淚水淒然地湧出來。『我爲你的傷心而痛心。』

她垂下頭，淒淒地垂淚。『如果是你比我早死，那麼你就不用傷痛……』

甚麼也能忍受，甚至連死亡也不會叫她恐懼。若有痛苦，就是不能代替他傷悲。她咬著唇，試圖阻止那要洶湧出來的笑容，在這一刻，她但願可以單純地悲哭一場。

『哈……哈……』眼淚掛了兩行，她就開始笑。『哈哈哈……』笑聲混和了眼淚，響亮得抖震。

她掩住臉，眼淚就由指縫間滴下來。她拚命收斂綻放中的笑容，最後，卻只能深深的嘆息。

『對不起，我比你先離開……』

想起愛自己的男人要面對自己的死亡，再堅強的女人也禁不住崩潰。

再沒有任何事更令人惻然。愛一個人就不會希望他受到任何傷害，無奈的是，只因爲他愛著她，他便要面對生命中最可怖的痛楚。

一個人的死亡，可以是偉大的完結；但當另一個人要相伴面對，便變成哭泣的慘劇。

Tiara 抱著哭得疼痛的頭顱，漸漸失去力量。滿腦子都是悲傷的拿破崙。最後，她就昏倒了。

在這一次的倒下以後，她的生命力就開始急劇流逝。

也是時候了。

自五月二十日開始，Tiara的咽喉就開始劇痛，開始出現併發的症狀，還有發熱和四肢無力。由這天開始，她不分日夜地躺在床上。

她吩咐醫生只要給她開些藥酒和草藥沖劑的藥方便成，千萬不要放血。『你們知道嗎？這個世代最荒謬的其中一種事物就是醫學，你們這些學醫的人，動不動就替病人放血……』

Tiara的咽喉急劇潰爛，已食不下嚥。她也明白，只需多痛數天，一切便會完結。痛楚難當、身不由己，但她儘量保持微笑，痛得脖子也快要斷裂之時，她依然邊慘叫邊發出笑聲。

『呀……呀……很痛……呀……呀……哈哈哈哈哈……』

侍候她的下人也就以爲她的病情不重。這些侍候了皇后半生的人，似乎還不太明白她。Tiara一心以笑容掩飾痛楚。她總是笑得很努力。

一天，她痛得以餐刀指向喉嚨，難受得意圖自刎。但當刀尖的冰寒傳至肌膚後，她又爲著這個念頭狂笑。『哈哈哈哈哈……』

即使掉進痛楚的地獄後仍然笑得出來，她心裡明白那是因爲她放棄了這個世界的色彩。她貨眞價實地得到很實用的堅強、勇氣和樂觀。

她疲累地合上眼睛，輕輕禱告：『但願拿破崙亦與我一樣……』

張開眼睛之後，眼淚隨即淌下來。然而，明明應該很傷心的，但不期然地，嘴唇一被眼淚沾濕後，它便彎起來笑了。

哭著笑的功力，在生命將盡之際，仍然發揮得很好。

『拿破崙，你也要爲我笑……』

Tiara的咽喉已經全然潰壞，她說不出話來，想說的，在心裡唸出來。

『拿破崙，不要哭……不要哭……』

實在虛弱得下一秒便能沉沉睡去。但又在矇矓間彷彿看見他的眼淚。

一滴一滴，豆大急速。他哭得無助淒清。

『不要哭……』

她的眼皮跳動了一下，終於漸漸陷入無知覺狀態中。在失去意識的瞬間，她在心頭替代拿破崙淌下他的苦淚。

身體敗壞，神智亦無法清醒。看顧她的人最終也知道了病情有多嚴重。病床上的前任法國皇后行將就木。

瑪爾梅莊城堡之內，處處都傳來侍女的哭泣聲。

接下來，Tiara睡睡醒醒。明明看見眼前人影晃動，卻不知身在何方。

就算生平經歷再特別的人，走向死亡的道路也大同小異。病床上的Tiara，連思想的力量也失去了。

而就在二十七日那天，Tiara忽然張開眼來，神情倒是精亮清爽。眼睜睜的，張開了眼便不想再合上來。她溜動著眸子，把這世界的一切看得清清楚楚。

到侍女發現她醒來後，她就命人將她移近露台，她說要看看室外的風光。侍女告訴她，院子中的花草都忽然凋謝了，而那些爲愛情而養的天鵝，也病了兩雙。

Tiara呼吸出嘆息，她所愛過的都捨不得她。

她盡情地把她的院子欣賞了半天。眼睛閃閃亮，不見疲累。

黃昏時分，夕陽更是久久不肯下山，像月光那樣半懸在雲層中。『連夕陽也想多看我一眼……』想到這裡，Tiara便再笑起來，爲著自己的受歡迎而欣慰。

『拿破崙，你知道我這樣快樂，就不要爲我傷感……』

她在夕陽跟前合上眼睛，用心念把說話傳送給她所愛的人。不知她成功沒有，只知當她張開眼睛之後，天際已換上夜色。

Tiara吩咐侍女爲她換上最愛的那襲衣裳，並替她掛上名貴珠寶，又給她好好化妝。

從鏡子中，Tiara看見約瑟芬的軀殼已逐漸敗壞乾枯，她臉額凹陷，脖子乾癟如樹皮，胸脯之下骨頭盡現。Tiara以眼神和姿勢指示侍女爲她拿來絲巾，著她們替她在脖子上打上一個漂亮的蝴蝶結，而絲巾的尾部要隨意地垂到胸脯前。

在鏡中打量一番後，Tiara再命侍女把她的髮鬢垂到臉龐兩邊。重新檢視一番，侍女們確保她滿意後才恭敬地退開。Tiara安然躺在床中央，以最佳狀態等候人生其中一個最重要的時刻。

她朦朦朧朧地望著前方，在心中喃喃地說：『別辜負約瑟芬……別辜負她……』

*　*　*

這數天，拿破崙一直坐在房間的窗前，面向窗外的大海，背向內進與他說話的人。無論下屬向他報告甚麼，他的反應都不大，也吃得很少，平常說話不多。當下人把食物放近他之後，就恭敬地退出房間，並認眞地把房門鎖上。拿破崙聽得見上鎖的聲音，但他不反抗也沒介懷。他依舊望著窗外的大海，那裡閃閃生光。木窗前新置了鐵枝，讓拿破崙無法爬窗離開房間。

這是拿破崙接到Tiara死訊的第十天，其他人都怕他做傻事。在剛接獲死訊之時，他無論如何不肯相信，激動地要求屬下爲他印證。他的臉漲紅，青筋暴現，兇惡地催促屬下辦事。就這樣，他的情緒繃緊了半天，當證實了死訊後，他就立刻崩潰嚎哭。

拿破崙左手持著Tiara死訊的公函，右手握著拳頭，不住拍向自己的心胸。哭泣的聲音如像受傷的野獸，那張英雄的臉，像皺布般垮了下來。他顧不了面前站著多少人，也忘掉了尊貴的身分，他甚麼也放下了，唯一有意識的行動，就是嚎哭。

當著眾人的臉，拿破崙不住悲鳴：『怎會這樣……怎可能這樣……約瑟芬怎會死……』

『不可能……不可能……』

『她答應了我四十年的壽命……』

『約瑟芬你怎可以走……』

他哭得跪在地上，身體左搖右擺。那哭得彎下來張大的嘴巴，痛苦得如一個地獄的洞。

他無可能相信，Tiara 就這樣不辭而別。

下人扶他返回房間，拿破崙就頹然窩在椅子內，眼淚掛下了一串又一串。醫生前來替他注射藥物，然後他就被安置在床上，眼淚不再流，亦沒再悲鳴，只是眼睜睜地盯著簡陋的天花板。

而當大家以爲拿破崙已經平復了之時，他卻在半夜溜出去。身懷Tiara的書信，他一步一步走到懸崖之巔，面對著白白的月光，他坐在懸崖之上。當把Tiara的書信翻開來後，他就開始飲泣。

閃爍的鑽石由他掩著臉的指縫間流出，散滿了夜色中的草地。他不敢哭出聲音來，只能掩臉嗚咽。

『約瑟芬……』

『約瑟芬……』

『約瑟芬……』他淒淒地叫喚著她的魂魄。『你怎可以捨我而去……』

淒涼得，連天也觸動。月亮跟前的烏雲，捲出了連綿的哀愁。

『約瑟芬，你出來……』

『約瑟芬，你不可以說走就走……』

『約瑟芬……』

手中Tiara的書信被風一吹，掙扎掉到草地上。

Tiara的臉容就由書信中的字跡浮現出來，拿破崙看得見，她那雙深情又哀愁的目光。

『啊……啊……』拿破崙痛苦地說：『約瑟芬，你回來……你別走……』

Tiara淡淡地笑，優美又寧靜地，沒拒絕他，又沒答應他。

拿破崙淚流披臉，早已哭得失神。『你走了，我該怎麼辦……』

Tiara再溫柔地笑，繼而，如一個幻影般消失掉。

『啊——』拿破崙把信按在心間，仰臉悲鳴。

『呀——約瑟芬——』

風吹來，透進了他單薄的衣衫內，他帶淚打了個寒顫，刺骨的感覺猶如鬼魂附身。

鑽石眼淚從他的眼角飄揚，刹那間，他忽然不想再哭了。他站起身來，彎下上身朝山崖下的海洋望去，浪濤細細地拍打崖岸，富韻律地向懸崖上的他招手。

拿破崙彎起一邊嘴角，冷冷地笑。他呢喃：『約瑟芬，我找路來見你……』

不哭了，不哭了……

風吹來，帶動了一聲神秘的應允。

眼淚閃亮地由眼眶流下，當觸碰了嘴唇，嘴唇便笑了。『找到那條路，我就能見你……』海浪輕柔地拍打，似是一種催促。

拿破崙伸出他的左腳，合上眼睛。

『約瑟芬，我來與你一起……』

說罷，他就由山崖一躍而下。

飛墮進水中的力度很猛，沒碰上岩石，但那衝擊已足夠令他神智不清。他朦朦朧朧地在海洋中浮沉，既不掙扎亦無叫嚷。看著氣泡由口與鼻溢出，他就想，無論如何也要跟她去。

『約瑟芬你去哪，我就去哪……』

『約瑟芬……』

腦內一股轟然。拿破崙等待著願望成真……

但當然，拿破崙沒有成功。下人發現他不在房間，便驚動起來，官邸中的半數人齊齊拿起油燈和火炬，在島上緊張地跑來跑去。拿破崙在海岸漂浮了半小時便被發現。他喝了很多海水，但氣沒斷。

自此，他的下屬便看守他。拿破崙沒意見亦不抗拒，他只在一心一意地凝望窗外的海。那片海的盡頭，約瑟芬一定仍在。

想到傷心處，窗畔四周就滿佈他的鑽石眼淚。孤獨地，只有他一人看得見。

『爲甚麼約瑟芬會死，爲甚麼？』他仍舊摸不通。

『明明說會在瑪爾梅莊等我……』想起了她的應允成爲永訣，拿破崙就悲慟得泣不成聲。

『爲甚麼……』

原以爲還有許多許多年，誰料……

『約瑟芬……你騙我……』拿破崙伏到窗前鐵枝上，苦不堪言。

就這樣，拿破崙被鎖在房間內接近一個月。其他人看著他由悲傷哀慟轉變爲沉默無話，最後就統統被他的肅穆神色嚇怕，他總是獨自一人站於窗前，目光銳利但又眉頭深鎖。

苦苦地，又捱了十多天後，忽然一天，拿破崙開口說話：『我想返回法國。』

他的神色平靜而堅定，眾心腹一聽，當下大感欣慰。然後，有人向拿破崙如此提議：『皇上，我們只有一個方法返回祖國：就是攻打敵人，讓皇上你重登王位！』

拿破崙默不作聲，思量片刻後才微微點頭。就是經他這一點頭，法屬部隊就開始密謀，意圖爲拿破崙爭回帝位。

往後的一段日子，拿破崙的情緒也顯得安穩，旁人察覺不到他有任何異樣舉動。他專注聰敏如昔，細心地策劃一次具歷史性的復辟行動。

一八一五年二月，拿破崙與七百名士兵上船，一個月後抵達法國。波旁王朝的路易十八慌忙棄宮，法國人民重新爲拿破崙歡呼。拿破崙復辟，再次登上法國的帝位。

再一次萬民擁賀。拿破崙皇袍加身，威儀不遜十多年前的首次登基。只是，這一次，他所愛的女人不在身邊。

他沒有再向人提起過Tiara，其他人自然就識趣地不提他的傷心事。而事實上，拿破崙的心事有誰知？他一心意圖返回法國，目的不外是爲著瑪爾梅莊的承諾。

痴心一片地，他仍然相信，Tiara在瑪爾梅莊等待他。

爲甚麼不？當他苦苦地等的時候，她也該抱著同樣的心情啊！

他溫柔地想，無論如何，他所愛的女人是不會辜負他的。

拿破崙沒等待時局穩定，已急不及待與他的侍衛軍浩浩蕩蕩返回瑪爾梅莊。當城閘爲他打開之時，他彷彿就能看見雍容的Tiara以皇后的禮儀笑著迎進他。每一次，瑰麗的她都沒令他失望；每一次，她都爲他引證了他的等待總是無比的值得。

那雙魔法般的琥珀色眼睛就是他的歸宿，每當她張開雙眼凝視他，縱然身心再迷惘疲累，他也能立刻找到棲息之所。有她在，一切都安心。

這個女人，就是他的城堡、他的家。

拿破崙跳下馬匹，朦朦朧朧地笑起來。是這裡了……是這裡了……

就是這個地方，他不得不回來。這一個莊園，處處都有她。

看見他步入玄關之後，Tiara會向他行一個禮，然後婀娜地走到他身畔，挽著他的臂彎，與他緩步走進大堂。顯赫的大堂中鑲滿牆鏡，明亮的鏡身內滿滿是她的倩影，她會嬌俏地轉身，那穿戴長手套的手就掩嘴輕笑，然後她會突如其來跑到他的跟前，愉快地拉起他的手與他來一圈慢舞，繼而她就深深地望進拿破崙的雙眼內，深情地告訴他，她有多愛他，愛他愛得生生世世無法離開他……

拿破崙總會這樣想，既然是鏡裡鏡外數十個 Tiara 一起承諾，他無可能不相信……

在樓梯上，拿破崙是一個快樂的跟隨者，她那迷人的長裙襬尾如流水如夢幻般向上流動，而他也一定不會錯過那被髮鬢輕搔的雪白後頸，總看得人心裡悵悵然、酥酥軟，恨不得立刻捉住她，貪婪地咬一口……

也沒可能忘記在欄杆前那楚楚動人的側臉，當風送來，耳畔的髮絲如羽毛飛動。他會稍等一會，等待她轉過臉來看他，而無論那天他的心情是好是壞，她送來的目光都能熱烘烘地溫暖著他的心。然後他便會感嘆一句：有她在，就甚麼都會好……

她坐臥在火爐旁的姿態永遠似一頭貓，性感慵懶嫵媚，他看得出，她是故意的。火光燃燒在她的眼眸中，每一次都讓他情不自禁。拿破崙會爲此情此景放聲大笑，看著眼前美人，縱使身後跟著千軍萬馬，他也只得投降這一個選擇，白旗飄揚，勇士齊步下跪，只爲拜倒美人的石榴裙下。

在垂幔床上的她愛托著下巴絮絮地與他訴心事。女人的心內說話瑣碎，他總是邊聽邊忘記。

是在某一個晚上，他驀地發現了她的頭頂上有一絲白髮，於是他就考慮，好不好告訴她。就這樣，他想著想著，居然，慢慢地感動起來，那小小的一絲白髮，提示了他將會與她一起終老，到了那一天，她便會滿頭白髮，而他望著那一頭銀絲亮髮，仍然會依舊的深愛她……

深愛她……深愛她……永永遠遠的深愛她……

『約瑟芬……』

他走過她同樣走過的地方，如今，就只有他獨自坐在床上。他伸手輕掃床鋪上的象牙色絲絹床單，合上眼，想像她就在身旁。悲與酸都湧上心間，眼淚不由自主地淌下。再想像得細緻又有何用？人已不在。

咬緊牙關，卻擋不住苦淚漣漣。

『你何苦要我與你受這樣的苦……』

拿破崙掩臉悲哭。『你答應過會等我……』

『約瑟芬，你答應過……』

一陣風輕柔地吹過，吹拂了燭光，吹動了床前垂幔，也吹散了床上零星四散的鑽石眼淚。拿破崙看著那些流動著的閃爍瑰寶，深感Tiara的犧牲完全無意義。她犧牲了全世界的色彩又有何用？她的堅強只夠她一個人享用，而他，已經脆弱不堪。

他不住地搖頭，完全擺脫不了纏擾身上的淒苦與孤獨。

『不明白爲何你要我受這種苦……』

燭光晃動，似要回話。

拿破崙就對著燭光悲哭。『約瑟芬……』

『約瑟芬……』

縱有千言萬語，卻已找不到聆聽的人。

『約瑟芬……』他用力揉住心胸。『我這裡好苦，好苦……』

哭泣的臉孔已皺作一團。『你明不明白……你知不知道……』

『好苦，好苦……』

悼念一個人，總是愈念愈苦。

就在翌日，Tiara的近身侍女送來一個寶盒，說是Tiara著她親手交到拿破崙的手中。拿破崙打開來一看，不得了，寶盒內的深藍色絲絨上滿滿數百顆一克拉鑽石，Tiara把他的眼淚都留了下來，珍而重之的，等待一天交還給他。

捧著這樣的遺物，拿破崙的心情已經非常沉重，而又冷不防地，他看見鑽石之內埋藏著一張紙條，他輕輕撥開鑽石，屏息靜氣地把紙條抽出來。

Tiara的紙條說：『每段偉大的愛情，必定包含一個死去了的人。你一生仰仗偉大，我的死，是一種成全。』

頃刻，拿破崙再也無法承受得起。他把Tiara的遺言握在拳頭中，淒厲地仰臉嚎叫：『呀——呀——呀——』

『我不要你做這樣的事！我不要……』

『你回來！我要以一切交換你回來！』

『我不要這樣的愛情！我甚麼也不要！我只要你回來！』

拿破崙悲愴得聲嘶力竭，他苦苦哭喊：『約瑟芬！你不可以做這種殘忍的事！』

『約瑟芬！你回來我身邊……』

風由窗畔飄來，吹起了藍色紗幔。風很輕柔，但紗幔晃動得張牙舞爪。拿破崙的情緒仍然在跌宕中，他望著如鬼魂起舞的藍色紗幔，決定了要做一件事。

他放下Tiara的寶盒，但右手仍緊握她的紙條。他急步走出房間，鐵青著臉直走到後園中。園門之外如常地備有供應使用的馬車，拿破崙跳上車伕的位置，又把車伕趕下車去，繼而猛力抽動皮鞭，馬車前的兩匹黑馬，就發狂一樣爲他提腳起步。

拿破崙的皮鞭兇狠無情，兩匹黑馬以不可思議的速度發力。車伕的位置顛簸搖擺，而拿破崙的神情有如著魔一般的陰霾，他的雙眼亮得閃出怪異的光芒，而嘴角勾起一抹誓死不罷休的冷峻。

馬車的其中一個木輪受不住速度的摩擦飛跌在小石路旁，馬車傾側，拿破崙更差點被拋到半空。他使勁地抓住馬匹的繩索，不獨沒減慢速度，反而更狠勁地抽動皮鞭。兩旁掠過的樹木都只有色沒有形，狂風撲面，他已差不多無法睜大眼睛。然後，就在一個拐彎之中，其中一匹馬失蹄，馬車便傾側倒下，縱然拿破崙身手再矯捷，也敵不過離心力，他被拋到半空，飛墮樹林的深處。

究竟魂離體外是否就是這樣？聽說，Tiara那個世界的人類多有半空飛行的經驗。拿破崙聽到骨骼碎裂的聲音，然後他就合上含淚的眼睛，期望夢想中的那團白光會出現。

他記得四年前，Tiara差一點就被馬車接走，如果不是他的阻撓，她一早已沒入那團神秘的白光之中。

Tiara去了哪裡？她偷偷坐上那架馬車嗎？如果她是這樣逃走了的話，或許，他也能夠借著另一架馬車重新尋回她……

『無論你去哪裡，我也跟著去……』

拿破崙疲憊地合上眼睛，漸漸失去知覺。

『約瑟芬，不要丟下我……』

怪異地，他只感到腦內一黑，卻看不見記憶中的白光……

而緊握手中的紙條，剛由他的手心甩掉。飄揚半空有Tiara的說話：『每段偉大的愛情，必定包含一個死去了的人……』

拿破崙的眼淚又再淌下來，閃亮地滴在離地不遠的葉子之上。

而心，有一種麻痺的痛……

沒多久後，侍衛就把他送回城堡中。拿破崙便又知道，他與Tiara相聚的計畫又一次失敗。大腿的骨頭斷了，腦袋又受了震盪，然而鬼門關還是未肯爲他打開。拿破崙僵硬地躺在床上，哭笑不得。

Tiara身在的地方，沒他的份兒。

再次死不去，反而激發起他的幽默感，他發出薄弱的笑聲，深感天下難事何其多。原來拿破崙完全稱不上萬能，如此努力尋死，都會失敗。

歷史上，拿破崙這次復辟行動只維持了一百天，他在滑鐵盧一役中被英德兩國聯軍大敗。而我們這一個拿破崙更加沒有親身參與是次戰爭，皇位與江山已變得毫無重要性。當屬下向他報告戰敗的消息，他也只是淡然一笑。英國人對他如何處置，他亦不放在心上。既然Tiara不在，他去哪裡，過甚麼樣的生活，都已不再重要。

聽說，英國人主張把他流放到一個更荒蕪的小島。腿傷初癒的拿破崙更是毫不在意。他蹣跚地在城堡內踱步，一心只想好好把這地方留給過他的美好回憶記著。

Tiara不在，拿破崙的身與心立刻老了好幾十年。心只繫在一個人之上，結局就會如此。

就在被英國人驅趕離開法國的前一晚，拿破崙忽然心血來潮，他有預感會看見Tiara。

這預感令他全身血脈澎湃，精神亢奮。

他走下來，提著燭台走出寢室，繼而推開每一個房間的門。他全心全意地感覺到Tiara會在某一個房間內，靜靜地回眸看他。拿破崙堅定地認為，一定會如此。

她會優雅地站在房間內，掛上一個微笑，帶著愛意地回眸。

拿破崙懷著一個激動的心情推開每一道經過的門，每一個推開的動作都是一次揭盅。而每推開一道門，他都覺得天國又再接近了，這些日子以來的苦痛、悵然、悲愴，很快便能消散。

只要見她一面，再苦的痛也會消失。

要求不過分吧！流過那麼多眼淚，也只爲求可以再見她一面。

不求再擁有，不求牽手到老，只求有重逢的一刻。

拿破崙已激動得從心中淌出淚來，他使勁地推開房間的門，奔跑穿梭在失望與希望之間。

『一定，一定，在某個房間之內……』

然後，當他推開一間小沙龍的房門時，他就感應得到一陣溫暖。溫柔的、和煦的、洋溢著愛意的。

他順著這股力量，把門再推得開闊一點。

銀白的光線由門縫中滲出來。

拿破崙的雙手已埋進這陣銀白色的亮光之中。

他抬起眼來，望進這光之內，眼前白茫茫一片，而他的心情漸變得很實在。

『啊……』他把門再推開一些，亮光就如潮水撲出。不期然地，他後退了半步。

當亮光逐漸緩和之後，他便看到光團的中央悠悠地泛出一個身影，窈窕的、優雅的、淡淡的，色調介乎桃紅和淡紫之間，光影晃動，色澤隨之變幻。

縱然未看得清楚，他的心情已翻騰得要湧出眼淚。

然後，那身影以細巧的姿態回頭望向他。一點一點地，她那張美麗雍容的臉再次出現在他面前……

『啊，你知不知道，我牽掛了你萬千遍……』他的心在喜樂與痛苦間迴盪。

『約瑟芬，我想你想得心也碎……』

他心內的說話，她都聽得見了。Tiara流動她那雙如魔法的眸子，溫柔地注視著他，接著，朝他泛起一個極迷人的微笑。

剎那間，時光凝結，一股衝擊力把拿破崙推向一個舊有的時空，在那一年那一個晚上，他愛上了她。

在那個初相識的晚上，她被介紹爲波柯里夫人，她的言行姿容輕易就俘虜了他。他看見她站在露台上與其他男賓客交談，他就私下對自己說，如果她在三秒之後回眸，他定必娶她爲妻。

『一秒……』她仍在說笑。

『兩秒……』她的神色收斂起來。

『三秒……』緩緩地，她轉過頭來望向他。

就如他所願那樣，在三秒之後她回眸。而從此，兩人的目光從未遠離過對方。愛情，隨著這個奇蹟盛放，不知不覺，他已愛了她近二十年。立志把她據爲己有的慾望，自她回眸的一刹開始。

擁有她。愛她、愛她、愛她。

也已經這些年了，爲甚麼仍然愛得不足夠？拿破崙按著心房，愛她的慾望，依然貪婪地腐蝕著他。這種愛，已成了抵抗不到的咒。

他的心淒淒地說：『除了愛你，我甚麼也做不成……』

這個他畢生鍾愛的女人，在回過頭來以後，一直溫柔地注視著他，她的琥珀色眼眸內流動著亮光，似有話說又似是不。

拿破崙苦苦地問：『你可否永遠留下來……』

然後，Tiara在與他相距十多呎的距離外，爲他綻放一個動人的笑容，這笑容如神如聖，靈光乍現。他的心就在她的笑容中悠悠飄盪，陶醉得不得了。不能自持地，他整個人都溫柔起來，含笑合上眼睛。

再大的怨、再淒涼的苦，瞬間無影無形。

合上眼，仍舊看得見她的笑容，那已經不是由視覺而來的觸動，而是細密地滲入肌膚的愛意。他的每滴血液，都流動著蘊含力量的光芒，他渾身的肌膚已如聖者那樣晶瑩通透。

他張開他的眼睛。Tiara含笑凝視著他，依舊無言。

驀地，他就明白起來。她的回眸一笑，無非是爲了讓他能好好地活下去。

她不會留下來，他亦不能走到她那裡去。兩人之間隔著一道橋，橋上有她堅強而溫暖的微笑。

Tiara拍動長長的睫毛，她爲他的明瞭而安慰。

她以全世界的色彩換回來的微笑，最後就送贈給他。

拿破崙心頭抽動，淌下了淚。

Tiara身上的柔光逐漸黯淡下來，唯一璀璨的，只餘臉上那抹笑容。她的身影一點一滴地沒入虛空中，留下來的，是那微笑的餘韻。

Tiara的輕語傳送到拿破崙的耳畔。她說：『謝謝你讓我愛了你一生。』

爲著這一句說話，拿破崙的心頓成碎片。不能自持地，眼淚如缺堤崩潰。

『約瑟芬——』

Tiara輕輕側了頭，神情如幻。

哭泣的拿破崙意圖趨前捉住快將消失的她，卻在提腿的一刹那，他的腦袋就轟然作響，下意識地，他急忙雙手抱頭後退半步。當雙手挪開時，面前的房間只有漆黑一片，房門虛掩，光芒不在，人亦不見了。

拿破崙的眼淚汩汩而下。他沒注意的是，在眼淚之下，他的笑容安逸而堅強。

Tiara 哭著笑的能耐，現已屬於他。

相愛的人，分享同一個微笑。Tiara 的堅強，已活於他的體內。

＊　＊　＊

在 Tiara 臨死的一天，她已不能開口說話，但神情與心情倒算平靜，眼睛時而合上時而睜開，奇妙的是，唇角一直掛著漂亮的微笑。

侍女們圍著她飲泣，送別的話一一在耳畔響起，她溫柔地拍動睫毛，示意感謝別人的關愛。場面極心酸，最平靜安樂的反而是躺在床上的她。

是在某一刻，矇矇矓矓的，Tiara發現自己能開口說話，她輕輕哼了一聲，感覺舒暢，咽喉也沒痛楚。然後，她就看見Mystery的三胞胎推開房門翩然而至。她剎那間想到的是，他日病癒後可增肥一點，然後訂造一套阿大身上穿著的那種黑色蕾絲內衣……

病癒……

驀地她卻又知道，自己沒可能病癒了。然後，她就笑出聲音來。

『呵呵呵……』

阿大站在病床邊，阿二阿三則坐在床沿，她們三人都笑意盈盈的，Tiara 看了看她們，便說：『我有一種不合理的樂觀。』

阿大說：『應該的，你的一生活得那麼了不起。』

Tiara 笑得燦爛開懷。『謝謝你們為我達成一生的榮華。』

阿二說：『榮華易得，但快樂難求。你一直能於苦中作樂，這才是真的了不起。』

Tiara 再笑，雙眼閃耀滿載憧憬的光芒。

阿三說：『你把你所扮演的角色演繹成不朽。』

Tiara 嘆息，這樣說：『我的不朽，皆因拿破崙愛我愛得很深。』

說罷，四人靜默起來，讓那濃濃的愛情磁場深深的籠罩。

Tiara 合上眼睛，陶醉地深呼吸，她的表情，有謎一樣的旖旎。

當魔法般的眼睛張開來，她就輕輕說：『為甚麼，明明活在幻覺中，感覺卻如此的真實？』

Mystery的三胞胎沒有回答她。而她，在一片溫柔的粉紅色之中緩緩合上眼睛。她的世界，在不知不覺間，再次彌漫色彩。

隱約地，她感到三胞胎正消失在房間中，而侍女們的飲泣聲漸次清晰。

Tiara 長長地嘆息，繼而，又打了個長長的呵欠……然後，疲累地，她終歸要睡去。

就在這個滿懷愛情感覺的幻象中，Tiara 輕盈地告別。真有種遊戲圓滿結束的暢快感……

* * *

一八一五年七月十三日，拿破崙離開法國，希望得到英國政府的庇護，後來卻又發現，英國人早已安排了放逐他到南大西洋非洲對岸的一個小火山荒島中去，那小島的名字是聖赫勒那島 St. Helena。

對於這種羞辱的安排，拿破崙只一笑置之，跟隨他的數名忠心隨從爲他感到忿忿不平，他倒是完全沒所謂。

他常常微笑，有那目空一切的神態。

而事實上，在餘下的日子中，拿破崙也保持著這一種微笑，超脫的、淡薄的、沒甚麼好在乎的。

英國人只承認他的將軍銜頭，但他與他的隨從在島上依然依循法國皇室的禮儀生活著，那幢簡樸的長林別墅儼如杜勒麗宮那樣嚴格講究。

拿破崙長胖了，常常穿著白色的棉質便袍與隨從聊天，他們把他的話記下來，以便將來編輯成回憶錄。拿破崙總是適然地邊喝茶邊說話，然後一天又將盡了，他知道，說說話聊聊天，就成爲身爲拿破崙的最終任務。

在島上，他有很多獨處的時光，他常常在島上漫步、看海，心血來潮時便把Tiara留給他的紙條拿出來細閱。有時候會哭，有時候不。間中他會想，原來失去一個人的感覺，是這樣的輕飄飄，心裡頭的大部分，早隨她遠走。

島上的人都看過他流淚的樣子，他總是笑著來流淚。他們都分不清他是難過還是歡樂。

鑽石眼淚散落小島各處。他所走過的每一步，都帶著對所愛的女人的觸動。

但他已不會再做傻事。當悲傷的盡頭是一個微笑的時候，再軟弱的人也不得不變得堅強。

拿破崙常常笑，那笑容陰柔，與他的英雄形象有著奇異的衝突。

有時候，他會自說自話：『這小島潮濕，恐怕委屈了你。』

然後，一把聲音回話：『只要我們一起，甚麼事情都難不到。』

他就微笑起來，盯著床邊凝視良久。她有沒有出現誰也不曉得，只知道這種遊戲他百玩不厭。

英國人當拿破崙是傻子；法國隨從看著他感到心痛；只有他一個自得其樂。

『我所愛的女人要我堅強！』他對別人說。

他也不理會別人的反應，繼而喜孜孜地說下去：『所以我抵受得到這裡潮濕的空氣！』說罷，就獨自哈哈大笑。無人陪笑，但他似乎也一樣的高興。

他拿著望遠鏡走到海邊，遠眺那片無涯無盡的海，忽然，他懷疑自己一早已死了，要不然為何現實竟虛幻至此？白茫茫，無邊無際，漫無目的。

漸漸，拿破崙也明白了，自己也即將命不久矣。

他倒不介意。滿好的，生與死，他已毫不在意。伸伸懶腰，笑一笑，又過一天。

與隨從下棋消磨晚上的光陰；把帶到小島上的數雙靴子擦得閃閃亮；甚至學懂如何磨利剃鬚刀。每天也在毫無壓力之下過日子，總算稱得上安享晚年。

他常常玩著Tiara留給他的數位相機，把當中每一格的影像看得入神。最後電池用盡了，畫面卻由他的腦袋活現出來，清晰得無論張眼合眼，細節也從無遺漏。不由得他不明白，原來照相機眞是人類的腦袋和眼睛的組合物。

有一天，當他在衣箱中翻東倒西時，居然給他找到一張他從來未曾看過的紙條，他握在手裡，激動得屏息住氣。紙條上寫道：『你這個人戴帽子永遠歪斜；走起路來肚子挺得大大；又自以爲把手掌伸入衣襟內是有型格的行爲……你每天都失儀，但我就是沒法制止自己愛上你這些小動作。你明白嗎？愛一個人，他就永遠最好看。』

看了一遍，拿破崙的嘴巴便彎下來，接著，眼淚一串串地滴下。他把紙條按在心房上，任由心中的情緒流瀉。說不出的悵然，說不出的心酸，這張新發現的紙條，活像是Tiara復活，向他傾訴心事一樣的珍貴。她究竟是不是眞的死去？抑或她根本一直就在身旁，只是他老眼昏花，錯過了，因此看不見。

而以後每一天，拿破崙也翻箱倒櫃，意圖發掘另一些Tiara的痕跡。

出來吧……出來吧……我甚爲掛念你……

這樣子翻來翻去，他偶爾感到眩暈氣喘，繼而他就意會得到身體的不濟事。在聖赫勒島逗留了差不多五年，拿破崙從一八二〇年七月開始頻密嘔吐，胃部疼痛，而終於在一八二一年五月五日嚥下最後一口氣。他共活了五十二年。

臥床的初期，其他人都憂心忡忡，唯獨拿破崙自己置身事外。他說：『我的愛人把她的微笑留給我，所以我天不怕地不怕。』

但始終也是痛楚難當。痛到受不了的時候，他就一邊笑一邊呼痛，表現得似個喜劇演員，誇張得甚麼表情都有。

事實上，肉體的痛是眞實，只是，Tiara留給他的笑容，比一切都強。

他說笑：『早點發現這神奇力量的話，或許法國士兵就會戰無不勝。』

他合上眼，想起軍隊帶笑上戰場的盛況，忍不住就覺得自己充滿幽默感。

Tiara送他這微笑的力量，無非是想他在逆境中也有能力幽默一番吧！

堅強，不是領兵千萬衝鋒陷陣；堅強是笑著來化解生命的悲慘。

拿破崙知道，他眞的學懂了許多許多。

肉體再痛，但心也安然。

就這樣，拿破崙過了一段笑著病重的日子，最後，就陷入昏迷中。

臨終的時候眾人聚在他身邊，他的神志迷糊但面容平靜，最奇異的是拿破崙去世時容貌看來只有三十多歲，肌膚白滑細巧，舒適泰然。

他看見了Tiara，她背著陽光在露台上回眸，輕輕對他說：『我們兩心快可重疊了。』

他在心中微笑，俏皮地回應她：『無論你說甚麼總是那麼性感。』

他看見她嫵媚地瞇起含笑的眼睛，然後他便慨嘆起來。自己一生的夢想，都放到她那魔法般的臉容上。愛她，愛得連自己也失色。

『我喜歡你，多於我自己。』他說。

接著，她就從露台旁邊往後走；他的心湧出了上前追隨她的衝動……

一生，他都在盼望得到她的愛，她的人在不在，他的盼望都沒有終止。

他永遠都在追求她，每一天每一刻，從未停止過……

她一出現，他的心和眼總是一併跟著去……

讓我隨你而去吧，讓我……我的一生人，都在盼望著同一件事……

圍在床邊的人都看到拿破崙的眼球不住地翻白，然後，有人俯身往他的唇邊，繼而重複著拿破崙的說話：『法國……軍隊……約瑟芬……』

無人可以肯定言語含糊的他究竟是否真的說著這三件事，只知道他的最後一口呼吸順暢無比，他走得並不痛苦。

拿破崙的遺容掛著一抹微笑，而那微笑，分明是屬於Tiara的。

這是一個多麼美好的故事，每一個人都如願。

他的確追趕到露台之上，在陽光的包圍中，他緊緊地摟著她，而那個美麗的女人笑著向他致歉：『對不起，我比你早走。』

戀人的眼睛四目交投，說不出的甜美幸福。

『怕甚麼，我也趕來了。』他既俊美又精壯。『只怕你沒有等我。』

美麗的她再次笑得無比嬌美，她可人又性感，聰慧又純真……對了對了，愛了她這些年，他所深愛著的，就是她這一種複雜性。

他輕撫她的髮鬢。『你從來沒有在我的心目中改變過。』

她含笑說：『是的，我從未停止叫你驚歎過。』

他的瞳孔頃刻放大起來，她的自信總能百發百中地打動他。

她告訴他：『在這裡，時間並不存在，我們可以相愛到永遠。』

『永遠。』他垂下頭作沉思狀，然後說：『也許只是剛剛足夠。』

她就笑得無比燦爛。忽爾，腦海中掠過一絲念頭，曾經在某一天，她許下了一個財色兼收的願望。

然後，居然，又全盤達成了……

貪錢、勢利、趾高氣揚、機心滿載、霸道高傲的女子，卻就是得著最多幸福的一個。

誰說公主一定要純情如小白兔？

呵呵呵呵呵。

Tiara在心中自問自答，她的笑容，真的美得無懈可擊。

後記

我構思過拿破崙與Tiara的另一生。如果他倆有下一生的話，或許他們會變成英國的溫莎公爵Duke of Windsor與溫莎公爵夫人Wallis Simpson。

爲甚麼不？這兩個人的愛情故事，絕對張力十足。

溫莎公爵在一九三四年遇上Wallis Simpson，當年公爵四十歲，Wallis Simpson也三十八歲了。而從此，久經傳頌的愛情故事就誕生。

當年，溫莎公爵愛德華的封號是Prince of Wales，是國王喬治五世的長子，將會繼承大英帝國。誕生於一八九四年六月二十三日的Prince Edward個性不羈，被稱爲Playboy Prince，他與嚴肅的父親及拘謹的弟弟完全不同，他的性格浪漫自由得多。

遇上Wallis Simpson那年，他的情人是Lady Thelma Furness。Prince Edward的戀情多不勝數，他偏向挑選一些成熟、甚至已婚的婦女爲情人。Wallis Simpson是美國婦人，早年離婚後再嫁給一名美國富豪，她是Lady Furness的好朋友，當與Prince Edward結識後，她很快就背叛了丈夫與好朋友，墮入王子的情網。

Prince Edward自小缺乏家庭溫暖，他的父母恩愛，卻對兒子冷漠。他長大後，就窮畢生精力尋找愛情的對象。Wallis Simpson世故、堅強、充滿動力的個性，不知不覺就打動了王子的心，而以後，Wallis Simpson 的旨意，就成爲王子人生每一步的方向。

他在一九三六年一月登基，成爲 King Edward VIII，而當他明白英國根本不會讓他迎娶剛辦理第二次離婚的Wallis Simpson之後，他在同年十二月宣布退位。他在全國廣播中發表說話，而重點的一句是：『欠缺了那名我所愛的女人的支持和幫助，我無法履行作爲皇帝的責任。』

從此，他受封爲溫莎公爵並流放海外，直至一九六七年才被允許重返英國。他的弟弟登基成爲 King George VI，他亦即是英女王伊莉莎白二世的父親。

及後溫莎公爵迎娶Wallis Simpson爲妻，讓她享有公爵夫人的稱號，之後數十年，他們都過著奢華的貴族生活，溫莎公爵的主意是，就算他不能讓他愛的女人成爲皇后，最低限度，他要讓她活得似個皇后。在餘下半生，公爵都做到了，他給她豐厚的愛情、社交地位，以及數量繁多的名貴珠寶。

溫莎公爵對妻子言聽計從，而事實上，他極之仰慕她的強悍個性，當其他人看不順眼她的專橫和控制慾，做爲丈夫的卻甘之如飴。

溫莎公爵在一九七二年逝世，夫人則在十四年後才過身。在沒有丈夫的十四年中，溫莎公爵夫人每一晚都會走進丈夫的寢室向丈夫說晚安，繼而才回到自己的寢室內安睡。

我的推論是這樣的：拿破崙強悍了一生，他的下一生該擁有比較自由自在的個性，但又因爲他是偉人，他的來生亦會有一種『偉大』的特色。溫莎公爵有皇帝命，但經過選擇後他決定不要當皇帝。還當甚麼皇帝？前一生霸業已極盛，今生不如專注享受愛情，以及英國皇室的長年俸祿。

Wallis Simpson 亦有 Tiara 的影子。容貌不是絕色，卻有無窮魅力，自信心極強，永遠是眾人的焦點。精明能幹，擅長控制別人，是典型財色兼收的類型，一生享盡男人的厚待，盡得天下。

而拿破崙又與溫莎公爵擁有一個近似的特質：他們仰慕辣手、強悍、厲害的女人。約瑟芬固然技驚四座，而拿破崙最鍾情的情婦——波蘭的瑪麗華萊斯卡亦不是小鳥依人的單純類型。這個男人，畢生都愛慕比自己更強的女人，所謂高手過招，就是如此。

如果有機會，我會希望寫一個溫莎公爵和 Wallis Simpson 的故事，華衣美服、挑戰強權、盡得風流……一定好看。

當我撰寫《二姝夢》第一集時，我已把焦點集中在 Tiara 身上，她的個性比較明亮，因此會比小蟬有趣。我把她套在約瑟芬的人生中，卻又令她比約瑟芬更強更完美，而結果就是皆大歡喜，讀者與約瑟芬都滿足非常。如果我是一個名人，我也希望可以重活一次，讓我把被後世取笑的缺點用力剷除。我相信，讀過《二姝夢》的讀者，都會對約瑟芬留下良好印象，Tiara 所扮演的角色，的確比原裝正版優秀得多。

我一直很重視對女主角的容貌、神態、姿勢的描述，當我描寫約瑟芬這角色時，我把 Natalie Imbruglia 的照片放於附近，我認為她與約瑟芬有類近的容貌。我偶然也想起蘇菲瑪索，始終法國女人要有法國女人的特質。而真正的約瑟芬，該是這兩個女明星的混合體，從不同的畫像中可以看到，約瑟芬有圓大的琥珀色眼睛，典型法國女性的高挺鼻子，以及略長的臉形。有些畫像描畫得漂亮一點、修長一點，另外有些則漫畫化起來，看上去只像個普通婦人。

拿破崙的畫像變化就更多，有些看來極俊美英偉，另外有一批，則把他畫得像個肥矮傻瓜。然而問題並不嚴重，無論他的長相是何模樣，在女主角的心目中，他定必俊美無雙。

我把拿破崙的感情全盤投向Tiara身上，但眞實的歷史版本並非如此。他眞心愛約瑟芬，卻亦急於拋棄她；他有過多名情婦，當中與波蘭的瑪麗華萊斯卡眞心相愛，並育有一名私生子；與第二任妻子奧地利公主的愛情亦溫馨感人。眞正的拿破崙起碼眞心愛過三個女人，當中與約瑟芬的感情歷時最長。我們不是他，不知他究竟最愛誰，但最重要、影響他最深的女人，一定是約瑟芬。

拿破崙有一項特質極之迷人：他重視榮耀、權力，但亦非常重視愛情。他有別於一般男人，他的愛情澎湃得任何人都可以從他的言行神韻中看得見、感受得到、洋溢四周。他的情信坊間流傳甚多，寫給約瑟芬的情信尤其感人、忘我。拿破崙的激情讓他的人格立體起來，如果他欠缺這種愛情心，他就不會成爲我的男主角。一個不享受愛情的男人，女人要來做甚麼？

我相信，世上每一個女人，都希望擁有一個拿破崙。

＊　＊　＊

在《二姝夢》下集，我把重點放到一雙奇異的組合中：蒙娜麗莎和亨利八世。

當初的構思，是以蒙娜麗莎對抗加尼美德斯，蒙娜麗莎仍舊擁有超級虐待狂的本性，而痴心的受害者是世上最俊美的男人加尼美德斯。然而，加尼美德斯是典型無辜小白兔，我虐待了他數十頁稿紙之後，就開始於心不忍。我一定要找一個『抵死』的男主角，讓女主角虐待得更狠更盡興。

亨利八世成爲一個完美的人選，讓人虐待得放心又盡情，對著這種男人，完全不須理會何謂惻隱，一見就斬便最合適。

我的個性有愛無恨，也從沒費力恨過誰，寫出這樣一個蒙娜麗莎，只爲了滿足天下間所有女人的慾望：盡情虐待身邊的男人。

不爲愛也不爲恨，只爲滿足虐待的快感。

在此祝願天下間有虐待狂傾向的女人，以及被虐狂傾向的男人都活得開心。

[深雪作品 7]

二姝夢

ANGELIC WICKED LOVE

大家都說，我們做人要有夢想。因此……Tiara 振臂高呼：『我要財色兼收！』小蟬祈求：『我要殺死我的男朋友。』而你呢？你又有什麼夢想？你要什麼？我都會給你。為什麼不？寵愛女人，就是世上最幸福的事。歡迎光臨 Mystery！

Tiara 和小蟬正面臨愛情的困境，透過奇幻內衣店 Mystery 的『名人模式戀愛計畫』，她們成功地返回過去當愛情練習生，並分別邂逅了拿破崙及畢卡索。這兩名亦正亦邪、魅力無限的歷史大人物會與她們擦出什麼樣的戀愛火花呢？而她們所許下的愛情心願又是否能順利實現呢？……

【Mystery 三部曲之二】

[深雪作品 5]

愛經述異

KAMA SUTRA

這裡是 Mystery ，一間讓女人實現愛情夢想的內衣店。但凡光顧，就能得到必贏的愛情。女人，光顧我吧！我給你性感、給你智慧、給你力量。
女人，你放膽告訴我，你還想要些什麼？

【Mystery 三部曲之一】

[深雪作品 6]

當魔鬼談戀愛

when devil falls in love

這是一隻魔鬼。他英俊、富有、才華蓋世。但他的戀愛，總是失敗。他能控制星宿轉移，他對手中的靈魂為所欲為。但他反抗不了一個女人。如果，你遇上這樣的一隻魔鬼，你會怎樣做？我相信，你會慰藉他、安撫他、憐憫他。然後，你會使他愛上你，繼而會拋棄他。因為如此，你便會好快樂。究竟，誰才是魔鬼？

[深雪作品 4]

月夜遺留了死心不息的眼睛

DEAD OF LOVE

我們有這持續一百年的遊戲，以一個人為獎品。參賽者是：藍色的憧憬、火紅色的眼淚，以及那不由自主的靈魂。在月光映照下，互相追捕、侵佔、撕磨、怨恨，然後瓦解。哀艷。當四目交投的一刻，月夜把即將煙消雲散的一切，都膠住了。

[深雪作品 3]

另一半的翅膀

THE SOUL IS HIS WINGS

為什麼，出現過的全是路過？我以為，另一半，只是深夜的神話。後來，天使告訴我，我的另一半，是我。那麼，請拆開我。從此，我一半，你一半，從我而來的，就能愛。我愛你。我愛我。

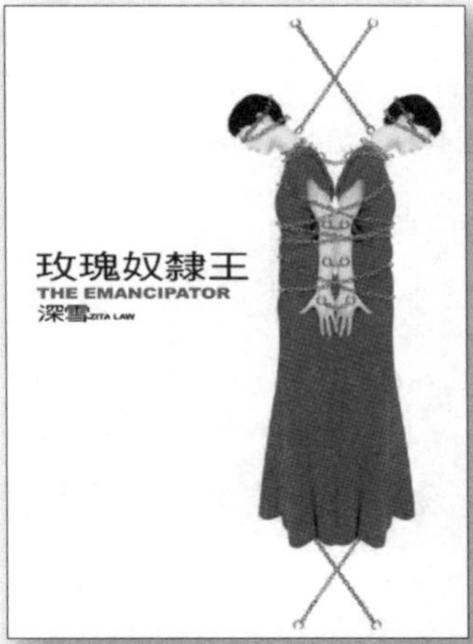

[深雪作品 2]

玫瑰奴隸王

THE EMANCIPATOR

這裡有兩間當舖，兩個老闆。典當物要不要加倍？而回報，又可會更多？當運氣、青春、年壽、四肢五官統統加倍典當出去之後，參與的人，希望成為命運的主人。然而，他們不知道的是，再高高在上，再稱心如意，還不是奴隸一個？最多，努力一點，大家爭著成為奴隸之王。

[深雪作品 1]

第 8 號當舖

THE PAWNSHOP NO.8

這是一間與眾不同的當舖，典當的不止是金銀珠寶、房屋地契，而是一個人的四肢、五臟、運氣、際遇、快樂，以及——靈魂。價值高昂，只看你捨不捨得。有沒有興趣？請即光臨《第 8 號當舖》。

國家圖書館出版品預行編目資料

二姝夢 2／ 深雪著．
．．初版．．臺北市：皇冠，2004【民93】
面 ；公分，．．（皇冠叢書；第3413種）
〔深雪作品；8〕
ISBN 957-33-2096-7（平裝）
857.7 93010349.

皇冠叢書第3413種

深雪作品8

二姝夢 2

作　　者—深雪
發 行 人—平鑫濤
出版發行—皇冠文化出版有限公司
台北市敦化北路120巷50號
電話◎2716-8888
郵撥帳號◎1526151~6號
出版統籌—盧春旭
編務統籌—金文蕙
美術設計—游萬國
行銷企劃—劉蕊瑄
印　　務—林莉莉・林佳燕
校　　對—鮑秀珍・金文蕙

著作完成日期—2004年3月
初版一刷日期—2004年11月

法律顧問—王惠光律師

讀者服務傳真專線◎02-27150507
皇冠文化集團網址◎http：//www.crown.com.tw
電腦編號◎427008
國際書碼◎957-33-2096-7
Printed in Taiwan
本書僅限台澎金馬地區銷售
本書定價◎新台幣220元

雪貓府 讀者回函卡

相信您也跟我們一樣喜歡深雪的作品！為了支持深雪，也為了您可以持續地收到關於深雪的消息，我們誠摯地邀請您加入深雪的讀友會──『雪貓府』。只要您成為『雪貓府』的會員，未來就有機會與深雪面對面近距離接觸！我們有任何關於深雪的新書出版消息，也都會盡速通知您。
加入『雪貓府』很簡單，只要您詳細填寫您的基本資料並寄回皇冠（台灣讀者免貼郵票），您就是我們『雪貓府』的一員了。

1. 請針對下列各項目為《二姝夢2》打分數

	5	4	3	2	1
A. 內容題材	□	□	□	□	□
B. 封面設計	□	□	□	□	□
C. 字體大小	□	□	□	□	□
D. 編排設計	□	□	□	□	□
E. 印刷裝訂	□	□	□	□	□

2. 您購買本書的動機？
□封面吸引　□書名吸引　□內容題材　□作者知名度
□廣告促銷　□其他

3. 您從哪裡得知本書的消息？
□書店　□報紙廣告　□皇冠雜誌廣告　□書評或書介
□親友介紹　□其他

4. 您能接受愛情故事裡較靈異、恐怖，甚至血腥的情節嗎？
□很喜歡　□最好不要　□沒意見

5. 您最喜歡書中哪個角色？________

讀者資料

姓名：________ 生日：____年____月____日
性別：□男　□女
職業：□學生　□軍公教　□工　□商　□服務業
□家管　□自由業　□其他 ________
通訊地址：□□□ ________________
____
聯絡電話：（公）________ 分機______（宅）________
e-mail：________

◎請沿虛線剪開、對摺、裝訂後寄出。

◎請沿虛線剪開、對摺、裝訂後寄出。

您對本書的其他意見：

北區郵政管理局登
記證北台字1648號
免 貼 郵 票
〔限國內讀者使用〕

105
台北市敦化北路120巷50號
皇冠文化出版有限公司　收